COUP DE FOUDRE

COUP DE FOUDRE

BARBARA STEINER

traduit de l'anglais par
Dominique Chauveau

ÉDITIONS HÉRITAGE
MONTRÉAL

Données de catalogage avant publication (Canada)

Steiner, Barbara A.

Coup de foudre

(Coeur-à-coeur).
Traduction de: Searching heart.
Pour adolescents.

ISBN 2-7625-3166-7

I. Titre. II. Collection.

PZ23.S73Co 1988   j813'.54   C88-096349-2

Searching H.E.A.R.T.
Copyright© 1982 by Barbara Steiner
Publié par Scholastic Book Services,
une division de Scholastic Magazines, Inc.

Version française
© Les Éditions Héritage Inc. 1988
Tous droits réservés

Dépôts légaux : 3e trimestre 1988
Bibliothèque nationale du Québec
Bibliothèque nationale du Canada

ISBN : 2-7625-3166-7   Imprimé au Canada

Photocomposition : DEVAL STUDIOLITHO INC.

LES ÉDITIONS HÉRITAGE INC.
300, Arran, Saint-Lambert, Québec J4R 1K5
(514) 875-0327

Julie Martel

CHAPITRE UN

Habituellement, je ne suis pas d'un tempérament nerveux, mais là, assise dans la salle d'attente de la clinique vétérinaire Ville Marie, je dois avouer que je n'en mène pas large. Vous connaissez ce sentiment — quand on veut tellement quelque chose que l'on a l'impression qu'un chat court après une balle dans notre estomac et que nos doigts, nos orteils, tout en nous est noué. Bien sûr ceci se passe uniquement à l'intérieur. De l'extérieur, on essaie de paraître calme et posée.

Madame Chevrier, la réceptionniste, me sourit gentiment. Ses cheveux gris bouclés encadrent joliment son visage. Elle me fait penser à un vieux berger anglais qui revient d'un salon de toilettage. J'ai la mauvaise habitude de comparer les gens aux chiens. Ce n'est pas que je n'aime pas les chiens — ou les gens. Ce jeu fou a commencé cette année, avec mon professeur de français. Il ressemble tellement à un basset hound, à l'exception de ses petites lunettes rondes à monture d'acier qu'il porte toujours sur le bout du nez. Certains jours, plus je le regarde, plus ça me rend triste. Parfois, quand il nous lit des poèmes pendant le cours de littérature française, je dois me retenir pour ne pas pleurer. Depuis, je ne peux m'empêcher de trouver aux gens des ressemblances avec les chiens.

Ceci dit, j'adore les chiens. Les chats aussi. Nos chats sont des habitués de la clinique Ville-Marie ; ils y vont toujours pour leurs vaccins. Comme nous en avons trois, nous bénéficions d'un petit spécial.

Une petite fille est assise en face de moi. Je lui souris. Elle serre un chaton noir et blanc contre elle. Dommage qu'Arthur ne soit pas avec moi. Arthur, c'est notre gros matou gris foncé. L'avoir près de moi me donnerait l'impression qu'il s'agit d'une visite régulière. Je serais moins nerveuse, plus confiante.

Pour une adolescente de dix-sept ans, je me sens plutôt immature. Je viens juste d'avoir dix-sept ans, je peux donc utiliser cet alibi et dire que je n'ai pas encore eu le temps de m'habituer à mon âge. D'où le manque de maturité. Mon anniversaire est le quinze janvier et nous ne sommes qu'au mois de mars. Un jour, c'est comme si j'avais quatre-vingt-neuf ans et le lendemain, pas plus de cinq. Il m'arrive parfois d'être tellement positive que je me sens capable de gouverner le monde — du moins ma partie — et d'autres fois, j'ai de la difficulté à choisir tout simplement ce que je vais porter.

J'étais pourtant confiante en marchant jusqu'ici. Depuis l'âge de dix ans, je me suis toujours trouvé un petit travail d'été et j'ai de très bonnes références. J'ai d'abord commencé à garder des enfants et à tondre des pelouses l'été. Ensuite, j'ai été emballeuse au marché d'alimentation, puis caissière. Cette année, j'ai été promue au poste de caissière en chef. En fait, le magasin n'est pas bien grand et le propriétaire tient à donner une chance aux jeunes.

Pourquoi vouloir cet autre travail qui est moins bien payé? Il y a un lien probable avec mon rêve de toujours. C'est aussi pour ce rêve que j'ai travaillé si fort ces dernières années : pour devenir vétérinaire. Je n'ai pas dit que je *voulais* le devenir, mais bien que j'*allais* le devenir. Il y a une différence énorme entre les deux. Mes professeurs me trouvent très déterminée. Maman, elle, pense que je suis plutôt entêtée. Cela dépend du point de vue où l'on se place, je suppose. Moi, je sais très bien quel est mon destin. Depuis déjà bientôt sept ans, je fais des économies pour mes études de vétérinaire.

Maman attend que je devienne «raisonnable. Les filles ne deviennent pas vétérinaires ; c'est un travail d'hommes». Ma grande sœur, Geneviève, qui a vingt-deux ans dit qu'elle n'accepterait jamais de nettoyer des chiens et des chats malades.

Les vétérinaires ne nettoient pas, eux. Mais c'est pour ce travail-là que j'ai fait une demande d'emploi. Aide à la clinique vétérinaire. C'est sûrement en grande partie un travail de nettoyage ; nettoyage des cages, de la salle d'attente, de la salle de chirurgie et peut-être aussi promener les animaux qui doivent rester un certain temps en chenil ou en cage. Plusieurs vétérinaires recommandent à ceux qui s'intéressent au même métier qu'eux de travailler dans une clinique vétérinaire. Probablement pour en éliminer quelques-uns à la base avant qu'ils ne commettent l'erreur d'entreprendre de si longues années d'étude.

Ma soeur ne m'a jamais comprise. Nous sommes tellement différentes l'une de l'autre, un peu comme un basset allemand et un danois. Elle ne ressemble pas plus à un danois que moi à un basset. Je dirais qu'elle ressemble davantage à un lévrier afghan, avec ses longs cheveux blonds qu'elle rassemble en couettes au-dessus de ses oreilles, lorsqu'elle ne travaille pas. Sinon, elle les relève en une coiffure très sophistiquée. En un mot, je la décrirais comme raffinée. Elle travaille à la banque et a tout à fait l'air de la femme d'affaires *extraordinaire*.

Comme vous l'avez constaté, ma famille n'a rien contre les femmes qui travaillent. Juste contre celles qui veulent faire carrière dans des domaines réservés aux hommes depuis des centaines d'années. Je ne suis pas du genre à briser les vieilles traditions ou à me hasarder sur des mers inexplorées. Par contre, je sais ce qui me convient à moi, Sophie Delage. Et quand j'ai trouvé ce qui me convient, il n'y a plus rien qui puisse m'arrêter.

— Le docteur Lejeune va te recevoir à l'instant, Sophie.

La voix de madame Chevrier est plutôt agréable, comme si elle m'avait déjà parlé auparavant. Elle tient son crayon comme une cigarette et me sourit. Je sursaute, éparpillant les revues que je feuilletais sans vraiment y porter attention.

La raison pour laquelle je suis si nerveuse, en dehors du fait que je tienne absolument à ce travail, c'est que je ne connais pas le docteur Lejeune. Il remplace le docteur Lemieux qui a pris sa retraite en décembre dernier. Je prends une grande respiration et me dirige vers le bureau du docteur Lemieux — en fait le bureau du docteur Lejeune, maintenant. Mon estomac se retourne dans tous les sens malgré les réprimandes que je me fais. J'essaie de me persuader que ce ne sera pas la fin du monde si je n'ai pas ce travail, mais pour moi, ça représente en quelque sorte la matérialisation d'un rêve que je chéris depuis plusieurs années.

Le bureau du docteur Lemieux n'a pas beaucoup changé. La même table de travail, la même chaise, l'étagère toujours à sa place avec des livres aux titres semblables à ceux qui y étaient quelques mois plus tôt : *Les maladies chez le cochon, Anatomie et physiologie du cheval, L'alimentation chez les petits animaux*. Beurk ! Pas très excitant comme lecture. Sur le bureau il y a maintenant la photo d'une splendide jument. Au mur, un immense tableau représentant une prairie et, au loin, des montagnes. Peut-être les Rocheuses.

Le docteur Lemieux travaillait toujours sous le regard oblique d'un gros chat siamois. Mais à la place du panier de Siam, par terre, je remarque une vieille couverture trouée. Qui peut bien dormir là ?

La réponse ne tarde pas à se faire connaître. Du bout du museau, une chienne colley pousse la porte du bureau et entre. Elle m'inspecte en retroussant son museau pour mieux me sentir ; sa queue balaie l'air. Ses grands yeux bruns sont incroyablement doux. Elle semble attendre poliment que j'aille plus avant dans les présentations.

— Allô, ma belle.

Je m'efforce de ne pas élever la voix et de ne pas l'effrayer.

Les chiens ont l'ouïe très développée et, selon moi, la seule façon de les apprivoiser, c'est de leur parler d'une voix douce, mais ferme. Je m'agenouille ensuite près d'elle. Avec beaucoup de dignité, elle me tend la patte. Je la saisis et nous devenons immédiatement amies. En fait, elle est si contente qu'elle me fait basculer par terre.

Le docteur Lejeune choisit bien sûr ce moment pour entrer. Je suis à moitié étendue sur le plancher, le colley me démontrant toute son affection, son museau posé contre mon épaule.

— Lanouk, ici !

Sa voix est ferme et exige obéissance. Immédiatement, Lanouk se lève et va aux pieds de son maître, le regard traversé d'un air d'excuses.

— Je suis désolé, mademoiselle Delage. Lanouk n'a pas agi ainsi depuis qu'elle était chiot.

Il se dirige vers moi, saisit ma main et m'aide à me relever.

Je me retrouve tout contre lui et, automatiquement, je recule d'un pas. Son regard sombre se pose sur moi ; un regard rempli d'intérêt et de sérieux. J'avale avant de parler.

— Ça ne fait rien, docteur Lejeune. Il n'y a pas de mal. Elle voulait juste jouer.

Le docteur Lejeune est beaucoup plus jeune que je me l'imaginais, et beaucoup plus beau aussi. Il doit mesurer au moins un mètre quatre-vingts… je dois lever la tête pour le regarder. Ses cheveux bruns sont frisés et courts et son visage, tanné par les intempéries, comme s'il passait sa vie dehors. Je suis séduite par les légères rides au coin de ses yeux qui se plissent lorsqu'il sourit.

Son regard soutient le mien. Gênée, je me sens rougir et je détourne les yeux. Je fixe sa main posée sur la tête de Lanouk. Des doigts longs et délicats comme ceux d'un artiste peintre ou d'un chirurgien.

— Pourquoi voulez-vous ce travail, mademoiselle Delage?

Il m'offre une chaise de l'autre côté de la table de travail. Je m'y assois. Lanouk se précipite et pose son museau sur mes genoux. Je la caresse doucement, profitant de cet instant pour me ressaisir.

— Je m'appelle Sophie, dis-je finalement.

Ensuite, je baragouine quelque chose au sujet de mon rêve de devenir vétérinaire et de faire mes premières armes en travaillant à la clinique. À vrai dire, je ne sais pas exactement ce que je dis, mais j'ai l'impression que ça se tient.

— Vous savez que ton travail consistera principalement à laver les cages et à promener les animaux qui sont hospitalisés plusieurs jours. Ça n'a rien de comparable avec les responsabilités que vous aviez à l'autre emploi, et le salaire est coupé de moitié.

Il consulte la demande d'emploi que j'ai remplie.

— Oui, je le sais. Mais le travail ne me fait pas peur. Je peux écouter et apprendre. Je veux connaître davantage le métier de vétérinaire. Et ce travail me permettra d'avoir un peu plus d'expérience auprès des animaux.

— Vous semblez savoir comment vous y prendre avec les animaux, Sophie. Lanouk est habituellement très réservée et néglige totalement les étrangers.

Sa façon de prononcer mon nom, de cette voix basse et douce… Lanouk me regarde. Elle ignore peut-être bien des gens, mais elle n'est pas dupe de mes sentiments.

— J'ai d'abord fait entrer Lanouk, continue le docteur Lejeune, pour vous étudier malgré les recommandations du docteur Lemieux. Il m'a effectivement vanté vos mérites et demandé de vous donner une chance. Lanouk semble être d'accord, elle aussi. Son choix est donc le mien.

— Vous voulez dire que… j'ai le travail?

— Le docteur Victorin est très occupé en ce moment. Il m'a mis en charge des entrevues et me fait confiance, mais il ne s'attend peut-être pas à ce que j'emploie une jeune fille ; jusqu'à aujourd'hui, ce poste a toujours été occupé par des garçons. Oui, si vous le voulez vraiment, vous pouvez travailler ici.

Si je le veux vraiment! Soudain, je voulais crier ma joie, courir, sauter. Je parviens cependant à contrôler mes émotions.

— Est-ce que je peux commencer demain?

Lanouk agite la queue en voyant que je me lève. Elle sait ce que je ressens vraiment.

Le docteur Lejeune se met à rire. Le coin de ses yeux se plisse de nouveau… comme j'aime ça! Et ses dents d'un blanc si pur…

— Si vous le voulez. Je serai ici vers midi. Mais si

vous arrivez un peu plus tôt, je pourrai vous faire visiter les lieux.

Il me tend la main. Sa poigne est ferme.

Je reste là, immobile, noyée dans la douceur de son sourire et de ses yeux. Quelques instants plus tard, en rougissant, je retire vivement ma main de la sienne. Lanouk me regarde, bondit et commence à aboyer.

— Lanouk! Pousse-toi. Je suis désolé, Sophie. D'habitude, elle n'agit jamais comme ça.

Il agrippe le collier de la chienne et la tire près de lui.

Je lutte pour ne pas montrer mon embarras.

— Elle veut peut-être sortir. Ça me ferait plaisir de l'amener courir dehors.

Le docteur Lejeune secoue la tête comme s'il n'en croyait pas ses yeux; le colley semble vraiment m'avoir adoptée. En général, les chiens m'aiment beaucoup, mais le comportement de Lanouk m'amuse tout de même.

— D'accord, mais ne la laissez pas vous mener par le bout du nez.

Je saisis la laisse qu'il me tend et attache le mousqueton au collier de Lanouk. Sa joie est sans mesure et elle me traîne littéralement jusqu'à la porte arrière.

Arrivées dans le jardin clôturé, je lui redonne sa liberté. Elle se met à courir et à bondir de tous côtés comme le ferait un jeune chiot. En riant, je me mets à courir avec elle. J'en profite pour dépenser le trop plein d'énergie que j'ai et toute cette excitation ressentie en sachant que je vais avoir le travail à la clinique.

Ni Lanouk, ni moi ne sommes vraiment calmées quand je retourne au bureau du docteur Lejeune. Au premier commandement de son maître, Lanouk se couche sur sa couverture, le museau posé sur ses pattes. Elle me fixe et il me semble déceler comme un sourire dans son regard.

Le docteur Lejeune la regarde, puis me regarde.

— Vous avez une amie pour la vie, Sophie. Lanouk pense que ce sera excellent de vous avoir parmi nous. Et moi aussi.

Je bafouille quelques remerciements et me dépêche de quitter le bureau avant de rougir encore une fois. Je marche jusqu'à la maison en pensant au beau docteur Bernard Lejeune. C'est un peu fou et je le sais. Le docteur Lejeune est beaucoup plus âgé que moi ; il a au moins vingt-cinq ans et peut-être même plus. Et il appartient à un autre monde ; il a terminé ses études de médecine vétérinaire. Mais je ne peux pas m'enlever de la tête son sourire chaleureux, ses yeux doux, la caresse de ses doigts. Tout ce que j'ai ressenti en sa présence et même après avoir quitté son bureau... c'est magique.

D'ici à demain matin, je dois me reprendre en main, être plus sérieuse, surtout si je dois travailler avec lui, pour lui.

CHAPITRE DEUX

Le lendemain matin, en me dirigeant vers la clinique, je pense ou du moins j'espère pouvoir me contrôler. J'ai environ un kilomètre de marche, ce qui me donne amplement le temps de me sermonner sévèrement sur ma conduite. L'air frais du matin me réveille. La nuit n'a pas été des plus reposantes, bien sûr! Vous connaissez cette devise : «Aujourd'hui est le premier jour du reste de ma vie»? Et je pense sincèrement que ce sera le premier jour d'une nouvelle vie en tant que vétérinaire. Je me suis couchée en pensant à tout ça et, naturellement, la nuit m'a semblé très longue…

Mes tâches m'empêcheront peut-être de penser. Si elles ne sont que manuelles, je pourrai les faire malgré mon esprit brumeux. Je n'aurais jamais pu poinçonner les bons chiffres sur une caisse enregistreuse ce matin. Je suis si heureuse d'avoir expliqué à Catherine en quoi consistait le travail de caissière en chef; elle peut me remplacer sans problème dès aujourd'hui. Sinon, il aurait fallu que je travaille un autre samedi à l'épicerie. Catherine est ma meilleure amie. Je lui ai obtenu un travail à l'épicerie cet automne. Il y a quelques mois, monsieur Maheu m'a demandé de lui expliquer le travail de caissière en chef afin qu'elle puisse prendre la relève en cas de besoin. Personne ne se doutait alors qu'elle me remplacerait.

La porte d'entrée de la clinique est fermée à clé. Heureusement, le docteur Lejeune m'avait prévenue d'utiliser l'entrée des médecins, une petite porte à l'arrière. Est-ce du romantisme... mais ce premier matin me fait rêver du jour où je serai officiellement vétérinaire, diplôme en main. Docteur Sophie Delage, prête pour le travail! Docteur Lejeune, amenez-moi des cas cliniques, il n'y en a aucun qui puisse me résister.

Le docteur Lejeune vient à ma rencontre en bâillant et en boutonnant une blouse de coton verte. Malgré la fatigue qui se lit sur son visage, il sourit.

— Bonjour Sophie! Prête?

À mon grand désarroi, je suis incapable de parler. Je fais un signe affirmatif de la tête, embarrassée et me sentant ridicule. Il va penser que je suis réellement idiote.

— Une des blouses de madame Chevrier devrait vous aller. Sinon, on en achètera quelques-unes de votre taille. On les porte pour essayer de protéger nos vêtements autant que possible. De toute façon, mieux vaut porter nos vieux vêtements.

Je porte un jean neuf et mon T-shirt préféré. C'est le premier matin, aussi loin que je m'en souvienne, où j'ai vraiment pris la peine de soigner mon apparence. Mes longs cheveux bruns sont retenus sur la nuque à l'aide d'une barrette. Quelques mèches s'en échappent et retombent gracieusement autour de mon visage. Jamais de maquillage. Une fraction de seconde, j'ai eu envie d'en emprunter un peu à ma sœur, mais cette idée m'a vite semblé ridicule. Faire ce travail avec du mascara et du rouge à lèvres ! Par contre, je n'ai pas à m'inquiéter pour ce qui est du fard à joues ; je n'aurai jamais besoin de rose artificiel. Je sais à cet instant précis que mes joues sont toutes rouges.

Je suis le docteur Lejeune tout en boutonnant une blouse de travail un peu trop grande pour moi. Je me sens dedans très professionnelle.

Pièce après pièce, le docteur me promène à travers la clinique. Je n'ose pas lui dire que j'ai déjà eu l'occasion de la visiter. Plusieurs fois, j'avais discuté de ma décision de devenir vétérinaire avec le docteur Lemieux ; il m'avait même permis de le suivre dans son travail pendant un programme d'étude de choix de carrière. J'avais donc passé toute une journée en sa compagnie. Ça n'avait que renforcé ma décision de devenir vétérinaire. Il m'avait judicieusement orientée dans mon choix de cours et d'écoles.

Lorsqu'il m'a téléphoné pour me parler de ce poste disponible à la clinique, je me suis rappelé cette merveilleuse journée. Je prête une oreille distraite aux explications du docteur Lejeune. Sa seule présence me rend toute drôle.

— Le docteur Victorin est très difficile en ce qui touche la salle de chirurgie ; je vous expliquerai comment la nettoyer la prochaine fois que nous l'utiliserons. Tous les instruments doivent être stérilisés dans l'autoclave et tout dans cette pièce doit être frotté et désinfecté sans exception.

Une légère odeur de désinfectant règne effectivement dans la pièce.

Aucun ménage n'a pas été fait depuis la veille. En entrant dans la chatterie, l'odeur des litières me prend à la gorge.

— Ce sont les malades d'hier. Sur chaque porte, il y a des instructions précises sur la diète qu'ils doivent suivre.

Nous nous arrêtons devant une cage. Une chatte noire et blanche miaule faiblement. D'une voix douce, le docteur Lejeune la réconforte. Encore très faible, elle se lève péniblement et se frotte câline aux barreaux de sa cage.

— Tu te sens mieux, Fanny? demande-t-il.

Il caresse la tête de la chatte.

— Elle a eu une ovariohystérectomie, hier. Elle va très vite remonter la pente maintenant et pourra rentrer chez elle demain.

Dans le bureau, la sonnerie du téléphone se fait entendre avec insistance. Après s'être excusé, le docteur me laisse avec les animaux. Parmi eux, trois chattes ont subi une ovariohystérectomie et un gros matou a été soigné pour un abcès au dos; il s'était battu avec un autre matou, sans aucun doute. En me voyant, il crache et se recroqueville au fond de sa cage.

— Allons, minou, je ne vais pas te faire de mal, dis-je doucement en plaçant ma main devant la porte de sa cage pour qu'il puisse la sentir. Prudemment, il la renifle, puis miaule d'une voix plaintive. Ses grands yeux jaunes sont soulignés d'une fine ligne

noire comme si quelqu'un lui avait appliqué du tra-
ceur à paupières. Une de ses oreilles est blessée et le
bout manque.

— C'est de ta faute si tu te retrouves enfermé là-
dedans, minou. Je parie que ce n'est pas la première
fois que ça t'arrive.

Je continue de lui parler et de lui gratter le dessus
de la tête jusqu'à ce qu'il me fasse confiance. Il se
met alors à se frotter contre les barreaux de sa cage
et me permet de le caresser. Bon, il va falloir que je
me mette au travail et que je change ces litières…
Juste à ce moment, le docteur Lejeune revient.

— Je suis content de voir que vous ne vous êtes pas
laissé impressionner par Oscar ; il ne fait que cra-
cher. C'est pour cela qu'il n'a jamais le dessus dans
les batailles.

Le docteur Lejeune me regarde, un sourire dans
les yeux. Je suis assise par terre devant la cage du
chat. Je détourne les yeux et concentre mon attention
sur l'animal.

— Il y a une urgence, Sophie. Des personnes ont
laissé leur chien courir sans laisse et une voiture l'a
heurté.

Sa voix se durcit ; il semble en colère. Je suis contente de ne pas être la propriétaire du chien.

— Nourrissez les chats et nettoyez leurs cages.
Ensuite, occupez-vous des chiens. Il faut les nourrir
et faire sortir ceux qui peuvent marcher. Si, par mal-
heur, un animal est mort, vous devez nettoyer la cage
à fond et la désinfecter. Vous trouverez tout ce qu'il
vous faut dans l'armoire du fond, près de la porte de

sortie. Madame Chevrier pourra vous aider lorsqu'elle arrivera s'il vous manque quelque chose. Le docteur Victorin ne travaille pas aujourd'hui. J'ai l'impression que l'on va avoir un samedi très occupé. Le zoo habituel !

Après son départ, je souris en pensant aux termes qu'il avait choisi pour décrire la journée.

La journée que j'avais passée avec le docteur Lemieux, il y avait eu un lapin blessé, un perroquet malade et un renard qui s'était cassé une patte. Je me demande ce qu'il va y avoir aujourd'hui.

Contente que le docteur Lejeune soit occupé ailleurs, j'entame ma journée avec entrain. Je me sens tellement bien avec les animaux. Après tout, c'est pour ça que je suis là et non pour les jeunes vétérinaires… Je vais me tenir loin d'eux !

Changer les litières et nourrir les chats… c'est plutôt facile et j'ai largement le temps de caresser chacun d'entre eux et de leur glisser quelques mots doux pour les réconforter. En retour, j'obtiens toujours un merveilleux regard félin et un faible miaulement.

Les chiens sont beaucoup plus impatients. Dès que j'entre dans le chenil, tous se mettent à aboyer ensemble. Quelle cacophonie ! On ne s'entend plus ! Ils veulent tous de l'affection et, surtout, leur repas.

— Un instant ! Je suis toute seule pour tout faire ; vous devrez attendre chacun votre tour.

Instantanément, ils se calment. M'ont-ils réellement comprise ?

Un labrador noir s'énerve un peu quand je m'approche de sa cage. Il doit deviner qu'il est le prochain sur ma liste. Je prends le temps de le sortir dans l'enclos derrière la clinique et de lui lancer sa balle quelques fois.

Un petit bâtard, la patte dans un plâtre, essaie de se lever sans succès. Je m'assois près de lui et lui parle doucement pour le calmer. Tout en le brossant, je remarque que ce petit chien doit être choyé par ses maîtres. Il y a une boîte pleine de différents objets : balles, jouets, brosse, plats.

— Tu es un bon petit chien, dis-je en le quittant.

Le regard qu'il me lance alors vaut largement toute la peine que je me donne pour faire mon travail correctement.

Si j'aime tant travailler avec les animaux, c'est avant tout parce qu'ils ne cachent jamais leurs sentiments. S'ils nous aiment, on le sait tout de suite et si c'est le contraire, on le sait tout autant. Nul besoin d'espérer, de vouloir, de supposer…

La cage suivante renferme la plus drôle des petites chiennes que j'aie jamais vues. J'ai un faible pour ce petit animal. De toute évidence, elle a un peu du teckel. Impossible de résister à l'envie de la serrer contre moi. Je la sens toute tremblante.

— Suzie, tu as l'air si triste !

Elle tremble toujours. Pourtant, elle se blottit dans mes bras et me donne un grand coup de langue. Pourquoi est-elle ici ? Je m'empresse de vérifier son dossier. « Animal errant apporté à la Société protectrice des animaux. Examen complet, administration d'un vermifuge, ovariohystérectomie lundi. » Je la replace doucement dans sa cage. Ses grands yeux tristes n'ont pas changé. Je m'éloigne ; il ne faut pas que je me laisse trop attendrir.

Dans la cage suivante, il y a une portée de chiots nés par césarienne.

— Quels dégâts vous avez faits ! m'exclamé-je en changeant le papier qui recouvre le fond de la cage.

Je prends une des petites boules de poils dans mes mains. Le résultat ne se fait pas attendre… dans l'instant qui suit, il me fait pipi dessus.

— Oh, non. Je vais devoir apprendre à mieux choisir la prochaine fois.

J'essaie de me nettoyer le plus possible, mais ma blouse est dans un état lamentable.

Je ne devrais peut-être pas prendre les animaux, mais comme je sais que ceux qui sont contagieux sont isolés des autres…

Plusieurs d'entre eux sont effrayés et bien seuls. Mon coeur s'attriste quand je les vois ainsi. Je sais qu'un des problèmes que je vais devoir affronter en devenant vétérinaire, c'est de ne pas m'attacher aux animaux comme s'ils m'appartenaient. Ce n'est pas un moindre problème et je dois passer au travers. Par exemple, maintenant, chacun des animaux appartient à une personne qui s'en occupe bien, sinon il ne serait pas ici.

Je nettoie les planchers du chenil, de la chatterie et de la salle de chirurgie. Qu'est-il arrivé au chien qui avait été renversé par une voiture? Ce n'était peut-être pas si grave. Je n'ai encore jamais vu d'animal gravement blessé, donc je ne connais pas mes réactions dans un tel cas.

Le docteur Lejeune va-t-il m'appeler s'il a besoin de moi? Logiquement, il devrait le faire. Mais pour l'instant, moins je le vois, mieux c'est. Je finis de laver les planchers ; son image surgit devant mes yeux.

« J'aimerais discuter de ce cas avec vous, docteur Delage. Sophie ! » dis-je à haute voix.

J'entends l'écho de ma voix dans le couloir. Espérons que personne n'ait entendu. Je me mets à rire de tant d'idioties de ma part. Je suis contente de mon nouveau travail, même si je suis au bas de l'échelle.

Plus que le parc dehors à nettoyer. Je dois avouer que c'est ce qu'il y a de moins intéressant. Et l'odeur… Tout cela met un terme à mon imagination.

Le temps file à une vitesse incroyable. Je suis sûre qu'il doit être près de midi. Mes heures de travail sont de sept heures à treize heures. Qu'est-ce que je vais faire cet après-midi? J'aurais peut-être dû demander de travailler de temps à autre à l'épicerie.

— Sophie. Comment ça va? Je n'ai pas eu beaucoup de temps à vous consacrer ; la matinée a été très occupée.

La blouse de travail du docteur n'est guère plus propre que la mienne. Il sourit.

— Tout va bien ; j'ai eu de quoi m'occuper tout ce temps. Avez-vous terminé?

— Oui, et je suis affamé ! Pas vous? Vous voulez dîner avec moi?

Que dire! Je cherche une excuse valable…

— Je suis beaucoup trop sale. Il y a même un chiot qui m'a fait pipi dessus.

— L'initiation est donc réussie. J'ai une idée. Que diriez-vous si j'allais chercher de quoi faire un pique-nique sur la plage pendant que vous terminez votre travail? Il vous reste encore à passer un petit coup d'eau sur les planchers de la salle de consultation et de la salle d'attente et à nettoyer les tables de consultation avec un désinfectant. Ce ne sont pas les oiseaux et encore moins Lanouk qui feront cas de notre odeur.

Sans attendre ma réponse, il se précipite vers la sortie. Il a balayé en un rien de temps mon objection. Comment puis-je accepter, moi, Sophie Delage, d'aller dîner avec le docteur Lejeune? Pourquoi m'a-t-il invitée? Il l'a fait avec tant de spontanéité, comme s'il s'agissait de quelque chose de tout à fait normal. Tant d'idées circulent dans ma tête…

Le docteur Lejeune revient. Je me sens aussi nerveuse que l'était Suzie, ce matin.

CHAPITRE TROIS

— Quelle journée magnifique! Vous n'avez pas froid?

Le docteur Lejeune me fait signe de m'installer aussi confortablement que possible sur le siège de son vieux camion de marque Chevrolet. Près de la portière, Lanouk attend, impatiente, la permission de s'installer à mes pieds. Elle dépose doucement sa tête sur mes genoux et me fixe d'un regard langoureux. Je regarde tout autour de moi, n'ayant jamais vu un aussi vieux camion. Incapable de dire quoi que ce soit, un faible sourire se dessine sur mes lèvres lorsque mes yeux rencontrent ceux du docteur Lejeune.

— Mille neuf cent cinquante et un, annonce-t-il comme s'il venait de lire dans mes pensées. Un vrai bijou! Et le moteur tourne au quart de tour. Et cette ligne! s'exclame-t-il en pointant du doigt la carosserie.

Malgré ma nervosité, j'éclate de rire. Ah! Les hommes et les voitures!

Le camion passe dans un trou et je m'agrippe à la portière. Ce n'est pas de tout confort.

Nous éclatons de rire. Cela me détend. Le docteur Lejeune insiste pour que je l'appelle Bernard et pour que nous nous tutoyions comme de vieux amis.

— Tu te sentiras peut-être un peu plus à l'aise avec moi.

Puis il me raconte l'histoire de son camion, ce camion qu'il a toujours connu, qui est plus vieux que lui et auquel il est si attaché.

La plage se profile enfin devant nous. Je ne sens pas la différence d'âge qui nous sépare. Pourtant, lorsque je sors avec des garçons de mon âge, je les trouve ennuyeux et insensibles. Je n'avais peut-être pas eu de chance dans mes sorties jusqu'à ce jour… ils m'avaient toujours semblé trop jeunes. En retour, je devais leur paraître hautaine, peut-être même trop sérieuse, comme le fait parfois remarquer Catherine. Mais je n'y peux rien, aucun des garçons de ma classe ne m'intéresse.

— Tu es tellement sérieuse, Sophie, me dit souvent Catherine. Ne peux-tu pas sortir, ne serait-ce qu'une fois, avec un garçon et t'amuser un peu? On ne te demande pas de l'épouser!

Sortir avec un garçon qui ne m'intéresse pas… quel plaisir peut-il y avoir là-dedans?

Bernard stationne le camion en haut d'une dune. Lanouk bondit dehors en aboyant. Nous sortons deux sacs d'épicerie et une couverture.

— Qu'est-ce que tu as bien pu acheter? Allons-nous rester ici toute une semaine?

— C'est une excellente idée, Sophie. J'ai besoin de vacances.

Nous courons sur la plage avec Lanouk. Les vagues viennent mourir à nos pieds, abandonnant sur le rivage coquillages, algues et galets. Je déplie la couverture tandis que Bernard déballe ses achats.

— J'ai pris un peu de tout ; je ne savais pas ce que tu aimais. De toute façon, moi, je suis affamé. Je me suis réveillé trop tard ce matin et je n'ai pas pris le temps de déjeuner. Je ne voulais surtout pas te faire attendre à la porte de la clinique.

— Je suis désolée. Ça ne m'aurait pas beaucoup dérangée.

— Moi, si. Mais ce n'est plus un problème maintenant, dit-il en mordant dans un gros sandwich au fromage et au jambon.

Je sirote lentement ma limonade. Tout est tellement silencieux ! On n'entend que le bruit des vagues qui déferlent doucement.

— Comment as-tu deviné que je n'étais pas très à l'aise avec toi ?

— Ce sont mes années d'expérience à travailler avec des chevaux difficiles et des chiens de toutes sortes. L'homme est tout simplement un autre animal. Tu avais tous les symptômes classiques permettant de déceler une très grande nervosité.

— Tu m'as donc traitée comme tu l'aurais fait avec un caniche ?

Bernard éclate de rire, puis devient sérieux.

— Je ne voulais surtout pas te blesser, Sophie. C'est une habitude, chez moi. Je ne veux pas que tu te sentes mal à l'aise avec moi.

— Ce n'est pas vraiment ça ; c'est… c'est juste…

— Que je suis plus vieux que toi, ou que je suis ton patron ?

Comme il peut lire en moi !

— C'est peut-être ça, dis-je en secouant la tête. Mais tu n'as pas l'air plus vieux. C'est-à-dire…

— C'est plutôt le contraire, Sophie. C'est toi qui n'es pas comme les autres filles de dix-sept ans. On te l'a peut-être déjà dit, et c'est vrai.

Je ne peux plus supporter ni son regard qui me scrute, ni la conversation.

— Oui, je suis comme toutes les autres. On fait la course?

Je fais un bond et me mets à courir le long de la plage déserte. Lanouk qui s'amusait jusque-là à renifler quelques brins d'herbe lève la tête, surprise et me rattrape bien vite pour me dépasser avec de joyeux aboiements.

Bernard prend le temps de se mettre pieds nus avant de nous suivre. Je suis déjà bien loin et tout essoufflée quand il arrive à ma hauteur.

— Quelle course! dit-il en cherchant son souffle. Je ne suis pas en forme!

— J'ai de grandes jambes et tu travailles probablement beaucoup trop.

— Tu as tout à fait raison. Avec trois vétérinaires à la clinique, je n'ai aucune raison valable. Tout ce que j'ai fait comme exercice ces temps-ci, ça a été de promener Lanouk et de monter à cheval.

Nous décidons de marcher. Il me parle de sa jument, Polka. J'enlève mes souliers de course. Quel plaisir de sentir le sable sous ses pieds.

Bernard me raconte qu'il a été élevé dans une grande ferme des Cantons de l'Est. Il a grandi avec les animaux et s'en est toujours occupé. Il me raconte à quel point il avait été impressionné, lorsqu'il était très jeune, par un vétérinaire qui avait aidé sa jument préférée lors d'un accouchemnent difficile. À partir de cet instant, il avait su qu'il voulait aider les animaux en difficulté. Rien d'autre ne l'intéressait.

— Moi non plus, dis-je. Je n'ai pas eu l'occasion de voir beaucoup d'autres animaux que des chiens et des chats, mais d'aussi loin qu'il m'en souvienne, j'ai toujours rêvé de travailler avec les animaux.

— Des fois, j'ai envie de retourner à la ferme. J'aime bien la Gaspésie, mais ce n'est pas la même chose. Soigner les petits animaux devient ennuyeux à la longue et ce n'est pas aussi bien payé que de soigner les gros animaux. À la ferme, les gens et les animaux comptent vraiment sur nous. On doit faire un peu de tout. Ici, on ne voit que des petits animaux. Le docteur Mercier soigne les chevaux et tout ce qui vit ; quant au docteur Victorin, il ne fait presque que de la chirurgie.

Nous parlons ainsi de nos rêves et de nos ambitions. Je lui en raconte plus à mon sujet que je ne l'ai jamais fait avec quelqu'un d'autre. Je lui dévoile mes idées, mes sentiments. Bernard ne se moque pas de moi. Il n'essaie pas non plus de me décourager dans mes projets. Au contraire, il participe à la conversation, me dévoile ses propres sentiments, comment lui perçoit les choses. On se rejoint sur bien des points, comme si on avait été façonnés à partir du même moule. Je n'ai encore jamais trouvé quelqu'un qui me complète aussi bien. J'ai l'impression de l'avoir toujours connu. Bernard Lejeune n'est plus un étranger.

Il me raconte encore qu'il adore monter Polka et galoper sur la plage pendant des heures, surtout le dimanche, lorsqu'il n'est pas de service.

Nous n'avons pas remarqué que le temps file et que nous sommes bien loin du lieu de pique-nique. Lanouk nous ramène à la réalité en aboyant après un canard.

Les nuages sont bas et le brouillard commence à se lever. L'air est humide et sent la pluie. Un héron s'envole par-dessus les dunes de sable et se réfugie parmi les pins.

Nous retournons vers le camion. Le silence s'établit entre nous. Un silence rempli de bien-être. Nul besoin de parler. Bernard se penche, ramasse un coquillage, ôte les grains de sable qui y sont collés et me le tend. Au creux de ma main, il me fait penser à un petit chaton recroquevillé sur lui-même. Sa forme est parfaite.

Je regarde Bernard. Oh, ce regard ! je m'y noierais volontiers. Ses yeux sombres... son sourire si chaleureux... Soudain, de grosses gouttes de pluie se mettent à tomber. Je crie de surprise et referme la main sur mon cadeau. Bernard prend mon autre main et m'entraîne au pas de course sur le sable dur et mouillé. Vite, nous ramassons couverture et restes du pique-nique et arrivons complètement trempés au camion.

Lanouk, en chien bien dressée qu'elle est, attend qu'on l'invite à entrer.

— Allez, Lanouk. Vite ! Tu peux venir, dis-je.

Elle saute sur le siège, me tassant contre Bernard. Une odeur de chien mouillé imprègne la cabine du camion. Je me rends compte qu'elle a l'habitude d'être sur le siège. J'avais donc pris sa place.

— Lanouk, descends, ordonne Bernard.

Passant son bras devant moi, il agrippe le collier de Lanouk et tente de la faire descendre. Rien à faire.

— Non, dis-je en serrant la chienne contre moi. Laisse-la. Je sais que j'ai pris sa place. Elle a l'habitude de se coucher près de toi.

Bernard m'attire contre lui.

— Tu crois que tu t'es mise entre nous?

Ses yeux sont remplis de malice. Des gouttes d'eau luisent sur son visage. J'essaie de rire.

Bernard me serre davantage contre lui et pose ses lèvres sur les miennes. Au début, son baiser est doux, tendre, sucré puis devient plus profond. Je me sens envahie d'une sensation merveilleuse qui, à la fois, me surprend et m'effraie un peu.

Nous finissons par nous séparer. Je n'ose pas regarder Bernard. Une chance qu'il y a Lanouk…

— Elle est mieux de se faire tout de suite à l'idée de te voir assise là, explique Bernard en faisant démarrer le camion.

Je serre Lanouk très fort. Les mots sont inutiles. Il faut rentrer.

CHAPITRE QUATRE

— Où étais-tu passée? s'écrie maman en me voyant rentrer trempée. Je t'attendais pour dîner. Comme se fait-il que tu sois trempée?

Je ne veux pas me perdre dans les détails. J'ai complètement oublié de la prévenir que je rentrerais plus tard, mais il lui arrive parfois de travailler le samedi après-midi, alors... Même si j'ai dix-sept ans, maman insiste pour connaître mes allées et venues et savoir où elle peut me rejoindre en cas d'urgence. Ce doit être normal la plupart du temps. Mais aujourd'hui, je n'ai pas envie de partager ce que je viens de vivre et de parler de mes sentiments alors que je ne les connais pas vraiment moi-même.

J'ai été incapable de dire quoi que ce soit à Bernard en le quittant tout à l'heure, à l'exception d'un faible « au revoir »et d'un « merci pour le pique-nique ».

— Je t'expliquerai plus tard, maman. Je vais très bien, j'ai seulement besoin d'une bonne douche bien chaude.

Absorbée par une de ses nouvelles trouvailles pour sa boutique de cadeaux, elle ne m'en a plus reparlé. Je n'ai pas non plus soulevé le sujet. Pendant le dîner, je parle de mon nouveau travail, dans la mesure où les personnes assises autour de la table veulent en entendre parler. Ce que je leur raconte semble les satisfaire.

— Hum, dit papa.

— Beurk! s'exclame Geneviève.

Maman se met à discuter de sa nouvelle trouvaille. Une histoire de souliers chinois que les jeunes adorent. Son visage s'anime tant elle est excitée. Je suis contente pour elle. Je la trouve très belle dans ces moments d'agitation. Je suis aussi contente pour moi-même… Quelle chance d'avoir une famille tellement occupée que personne ne cherche vraiment à savoir dans les moindres détails ce que les autres vivent.

Je ne sais pas trop comment je suis passée au travers de mon dimanche et de mon lundi, à l'école. Je me dirige vers la clinique le coeur bondissant d'excitation. Nettoyer et désinfecter une salle de chirurgie des plus sales sous la supervision du docteur Victorin suffit pour refroidir les idées.

Il est propriétaire de la clinique. Petit, carré, dans la cinquantaine, il porte des lunettes à monture d'écaille et des cheveux assez longs. Sa barbe est toujours impeccablement taillée et ses sourcils, froncés.

Sans arrêt, ce ne sont que des remarques désobligeantes parce que je suis une fille. Mais qu'est-ce que le docteur Lejeune a bien pu penser lorsqu'il m'a engagée. Ce poste a pourtant tout le temps été comblé par un garçon…

— C'est le docteur Lemieux qui a eu cette idée, dis-je, ne pouvant m'en empêcher.

Je ne veux pas que cette responsabilité retombe entièrement sur les épaules de Bernard.

— Comment? demande, surpris, le docteur

Victorin.

— Le docteur Lemieux m'a recommandée pour ce travail. Il sait que je veux devenir vétérinaire. J'en ai souvent discuté avec lui et il a pensé que le fait de travailler ici serait, pour moi, une excellente initiation.

— Une femme vétérinaire! Hum!

Cet homme ne me fait pas peur. J'ai envie d'éclater de rire en l'entendant ronchonner. Mais je m'oblige à me concentrer sur ses directives surtout lorsqu'il m'explique comment utiliser l'autoclave. Puis il me laisse avec mon seau et ma vadrouille. Qu'est-ce qu'il avait à grogner de la sorte? De quoi se plaignait-il? Je n'en étais pas encore à poser un diagnostic ou à faire une chirurgie.

La vue du sang ne m'a jamais ennuyée, même si je sais qu'un animal gravement atteint ne me laissera pas indifférente.

Bernard n'avait pu réchapper le chien qui s'était fait renverser par une voiture le samedi précédent. Il avait dû l'euthanasier. Je me demande si je pourrai supporter ça. J'espère pouvoir m'habituer assez rapidement à ces aspects du métier et, surtout, concentrer mon énergie au soin des animaux. Je doute d'être admise en salle de chirurgie pour l'instant… et ce ne sera jamais, si le docteur Victorin a son mot à dire là-dedans.

Mes pensées sautent de mon rêve d'être un jour vétérinaire aux multiples travaux que le docteur Victorin m'a demandé de faire d'ici à dix-huit heures. Le temps passe vite et, heureusement, Bernard est loin dans mes pensées. Je sais qu'il est là, quelque part,

36

mais je ne l'ai pas vu. C'est pourquoi je sursaute quand il me touche l'épaule alors que je tiens un des chiots dans mes bras. Bien qu'encore faibles, ils pourraient rentrer chez eux mardi.

— Oh, bonjour, dis-je.

Je ne trouve rien d'autre à dire. Je regarde le chiot et lui donne une caresse avant de le rendre à sa mère.

— Au sujet de samedi, Sophie…

— Il n'y a rien, Bernard. C'est juste arrivé comme ça. Tu n'as pas à expliquer quoi que ce soit.

Je ne veux pas en parler. Je suis persuadée qu'il se sent gêné de ce qui est arrivé et c'est aussi bien de tout oublier le plus vite possible.

— Je veux t'expliquer. Il faut que je te parle. Mais je ne peux pas ce soir, je suis déjà invité chez le docteur Mercier depuis la semaine dernière.

— Et demain soir? demandé-je en mettant fin à ses explications.

— Tu aimes les pizzas sur charbon de bois? Je t'invite chez « Pizza Meilleur ». Ils ont une pizza aux fruits de mer succulente!

— J'aimerais bien. Je vais dire à maman de ne pas m'attendre.

Moins tendu, il se dirige vers la salle de consultations. Je donne de l'eau à boire aux chiots, termine mon travail et me glisse dehors espérant ne pas revoir Bernard avant que nous puissions parler. Mais qu'avait-il à me dire? Nous étions piégés dans le camion, Lanouk nous avait poussés l'un contre l'autre, et…

37

Le mardi après-midi passe très lentement. Il y a pourtant plus de nettoyage à faire que d'habitude. Plusieurs animaux sont rentrés chez eux et c'est le grand nettoyage des cages. Je finis de désinfecter la dernière et commence à ranger tout le matériel quand Bernard arrive.

— Sophie, j'ai besoin de ton aide.

Son visage est sérieux et il me semble avoir vieilli. Je le suis dans une des salles de consultation, contente qu'il m'ait demandé de l'aider.

Un setter irlandais est allongé sur la table de consultation, une dame dans la quarantaine penchée au-dessus de lui.

— Je vais m'en occuper, maintenant, madame Verne. Tout ira bien.

Bernard caresse le chien qui essaie désespérément de se lever. Madame Verne prend le museau de son chien dans ses mains et le regarde dans les yeux.

— C'est mieux ainsi, Gloria, je suis désolée.

Elle embrasse son chien, tourne les talons et quitte rapidement la pièce, mais pas assez vite pour m'empêcher de voir les larmes qui coulent sur ses joues.

Je regarde le chien, puis Bernard et, soudain, je me rends compte de ce qui va se passer.

— Je suis désolé, Sophie. J'espère que tu peux m'aider. Il arrive parfois que le propriétaire ou madame Chevrier m'aide, mais cette dernière n'est pas là et madame Verne ne se sent pas la force de rester. Si tu veux bien juste lui tenir la tête.

Je fais un signe et prends la tête du setter dans mes

mains. Je voudrais lui parler, le tranquilliser, mais aucun mot ne sort. Un des yeux de l'animal est voilé ; il ne doit probablement pas voir, mais l'autre oeil me fixe avec confiance. Je tourne le dos pendant que Bernard prépare l'injection et la lui administre. Ma gorge devient si sèche que je suis incapable d'avaler et un noeud se forme dans ma poitrine.

Très rapidement, le setter ferme les yeux et sa tête s'alourdit. Je caresse sa douce fourrure, sachant qu'il ne souffre plus. Même cette pensée ne m'aide pas. J'ai besoin de toute mon énergie pour rester maître de moi.

Ce qui suit est encore plus difficile. Il s'agit de déposer le corps de l'animal dans un grand sac de plastique. Je tiens le sac pendant que Bernard y place l'animal et le noue.

— Va te laver, Sophie. Je vais te rejoindre au camion, m'ordonne Bernard d'un ton bourru.

Ça n'a pas été facile pour lui non plus.

Machinalement, je dépose ma blouse de travail dans le panier de linge sale et je me lave les avant-bras et les mains au savon pour enlever toute odeur d'animaux et de désinfectant.

La nuit est fraîche et pluvieuse. Je serre mon manteau contre moi en marchant vers le camion de Bernard. J'essaie de prendre de grandes bouffées d'air frais. Appuyée contre la portière, j'attends. Mes idées sont aussi sombres et nuageuses que le temps.

Est-ce sa main posée sur mon épaule lorsqu'il ouvre ma portière ou le fait que je ne puisse plus me retenir... Mes épaules se mettent à trembler et j'éclate en sanglots.

Bernard me tourne vers lui et veut me prendre dans ses bras. Je le repousse avec horreur.

— Pourquoi, Bernard? Pourquoi? Pourquoi m'as-tu fait faire ça?

— J'avais besoin d'aide et il fallait le faire. Ce chien était très vieux, Sophie. Et il avait mal. L'euthanasie…

— Ne me parle pas de ça. Tu l'as tué. Et, en plus, comme si ça ne suffisait pas, tu l'as enfermé dans un sac de plastique comme… comme… un déchet.

— Sophie.

Bernard essaie de me parler, mais je ne veux rien entendre. Je me mets à pleurer comme une hystérique.

Il attend, ses mains posées sur mes épaules, mon bras replié le maintenant loin de moi. Quand il me sent enfin plus détendue, il me rapproche doucement de lui et me serre très fort comme pour me transmettre un peu de sa force.

— Oh, Bernard, pardonne-moi. Je…

— Sèche tes larmes et grimpe dans le camion, Sophie.

Il ouvre la portière et me porte presque sur le siège. Lanouk saute à mes côtés. Je sens la tiédeur de son corps près de moi. Je jette mes bras autour de son cou et la serre très fort, heureuse qu'elle ne soit âgée que de trois ans et qu'il lui reste encore longtemps à vivre avant de devenir vieille et malade. Je suis gênée de mon attitude envers Bernard. Le trajet se fait en silence.

Au lieu de s'arrêter chez « Pizza Meilleur », il continue sa route jusqu'au petit restaurant de la plage. La propriétaire semble le connaître. Il lui commande le plat du jour. Elle me regarde d'un air interrogateur. Elle doit se demander ce qui m'est tombé sur la tête. Après son départ, je m'excuse auprès de Bernard et me dirige vers les toilettes pour m'asperger la figure d'eau froide. Je ne me sens pas mieux pour autant et j'évite de me regarder dans le miroir qui trône au-dessus de l'évier, seul objet de décoration de l'endroit.

Une délicieuse soupe aux huitres me réconforte un peu.

— La soirée ne s'annonçait pas pour déguster une pizza, me dit alors Bernard.

— Je suis vraiment navrée, Bernard. Je n'y peux rien, c'est plus fort que moi. Je suppose qu'on doit s'y habituer, mais je...

— Non, Sophie. Je ne crois pas qu'on s'y habitue. C'est un des côtés les plus durs du métier, ça et être incapable de soigner un animal blessé ou malade. J'espérais pouvoir retarder ce moment.

— Tôt ou tard, je dois savoir si je peux l'affronter. Je n'y avais pas pensé en choisissant de devenir vétérinaire.

— Quand je vivais à la ferme, je faisais régulièrement face à des situations semblables. Mais ça ne m'a pas beaucoup aidé. Et au début, je dois avouer que j'ai versé bien des larmes, si ça peut te réconforter.

Bernard pose sa main sur la mienne et me sourit.

— Dans ce restaurant, il y a la meilleure tarte à la noix de coco que je connaisse.

— Il est préférable d'en demander, alors. Il ne faut pas insulter la cuisinière. Elle s'inquiètera peut-être un peu moins à mon sujet en me voyant dévorer.

Elle apporte le dessert elle-même avec un sourire radieux puisque je vais mieux.

— Elle aime bien me chouchouter, m'explique Bernard en attaquant sa pointe de tarte.

— Nous avons un autre problème à régler ce soir, Bernard, dis-je en souriant faiblement.

Bernard ne me parle pas de ce qu'il voulait m'expliquer ou discuter avec moi. Il a peut-être décidé que ce n'est pas le bon soir pour ça non plus.

— Mes parents veulent te connaître. Je leur ai dit que tu les rencontrerais ce soir, en me raccompagnant.

— C'est tout à fait naturel, Sophie. Ils veulent connaître cet homme âgé qui leur a volé leur petite fille.

Ses yeux brillent.

Voler est le terme exact. Bernard était en train de me voler mon coeur. Et tout ça si rapidement que je pouvais à peine y croire.

CHAPITRE CINQ

Je savais bien que ce serait un désastre de présenter Bernard à mes parents. Au moins, maman ne fait aucune remarque désobligeante devant lui. Tout le monde est excessivement poli, y compris Bernard. Je le sens tendu et beaucoup plus froid que d'habitude. Personne ne fait d'effort particulier…

Dès que possible, je raccompagne Bernard jusqu'à la porte prétextant des devoirs à remettre le lendemain. Ce n'est pas juste une excuse dont je me sers ; j'ai effectivement un examen de mathématiques à préparer.

— Quel âge a ce garçon? s'écrie maman dès que je reviens dans la salle à manger.

— Ce n'est plus un garçon, il a vingt-cinq ans. C'est un des vétérinaires de la clinique.

— Sophie, il a huit ans de plus que toi! C'est avec lui que tu étais samedi, n'est-ce pas? Henri, dis-lui que ce n'est pas correct.

Maman s'énerve très facilement.

— Allons, Constance, qu'est-ce que tu trouves de pas correct? Ce jeune homme a invité Sophie à souper et l'a raccompagnée à vingt heures. Il sait très bien qu'elle n'est qu'une enfant. Il a été poli, c'est tout. Il semble bien élevé.

Je ne suis pas d'accord de me faire traiter d'enfant,

mais ce n'est pas le temps de discuter. Si maman pouvait seulement croire que Bernard avait été tout simplement poli à mon égard, je laisserais les choses comme ça pour le moment. Je ne veux pas partager avec eux les sentiments que j'éprouve envers Bernard. Je ne les comprends pas moi-même. Comment expliquer à maman que je sais très bien qu'il est plus âgé que moi, qu'il est vétérinaire, mais aussi que je suis tombée amoureuse de lui et que je n'y peux rien.

— On en reparlera plus tard, Sophie, finit-elle par dire une fois calmée. Tu as parlé d'étude?

— Oui, un examen.

Avant d'aller dans ma chambre, je m'arrête à la cuisine et me sers un verre de jus d'orange. J'espère pouvoir me concentrer sur mon examen.

Ma chambre est comme un sanctuaire. Le plafond légèrement incliné, la fenêtre donnant au sud… je peux facilement imaginer le lac juste en face. Des étagères qui débordent de livres de toutes sortes, surtout sur les animaux. Des murs remplis d'affiches d'animaux, quelques plantes me permettant de rêver que je suis dans la jungle, des coquillages…

Je me regarde dans le miroir. Tant de choses ont changé en une semaine. Pourtant, c'est toujours le même visage que je vois!

— Sophie Delage, tu dois travailler. Monsieur Bérubé se foutra pas mal de ton apparence demain quand tu rateras ton examen.

Vite je me douche, enfile mon pyjama et me glisse sous les couvertures, mon livre sur les genoux. Mon cerveau est ramolli, mais je dois essayer d'étudier tout de même.

— Tu n'as rien compris de ce que je t'ai dit, s'exclame Catherine le lendemain matin.

Elle a entièrement raison.

— Je ne t'ai jamais vue dans les nuages avant un examen, Sophie. Quelque chose ne va pas? Et ton nouvel emploi?

— Je t'en parlerai ce midi. Toi, le magasin?

Nous parlons du travail de Catherine en allant à l'école. Je lui donne quelques conseils pour régler certains malentendus avec des clients. Cette conversation m'aide à me sortir Bernard de la tête.

Vers midi, je ressens le besoin de discuter avec quelqu'un et je ne vois personne d'autre que Catherine.

— En amour? Tu es amoureuse, Sophie? Tu n'es jamais sortie plus d'une fois avec le même garçon? Tu ne t'es toujours intéressée qu'à ta profession?

Je raconte un peu Bernard. Mes impressions, mes sentiments à son égard. J'y ai souvent pensé, mais aujourd'hui, dans la cafétéria de l'école, ça me semble un rêve. J'avais décidé que le baiser de notre première rencontre avait été accidentel.

— Ce n'est qu'une passion passagère, Sophie. Ça s'est produit avec le professeur d'anglais, l'an dernier, tu t'en rappelles? Toutes les filles de la classe en sont tombées amoureuses. Il était si jeune. Tu travailles avec cet homme et, en plus, il est ce que tu veux devenir, même si je ne sais pas trop pourquoi. Tu as, pour lui, cette admiration que l'on porte à un héros.

— C'est exactement ce que j'ai essayé de me dire, aussi, Catherine. C'est vrai, j'ai essayé. Mais ça n'a servi à rien. En plus, maman est dans tous ses états parce qu'il a huit ans de plus que moi. Elle sait seulement qu'il m'a invitée à souper, rien de plus. Tu t'imagines, s'il fallait qu'elle sache que j'en suis amoureuse?

— Comme je connais ta mère, tu es mieux de ne rien lui dire de plus. Elle est très entêtée.

— Oui, ça court dans la famille, les entêtés.

Je croque dans ma pomme.

— On a tant de points communs, Catherine. Il pense comme moi, il me comprend quand je lui explique mon rêve de devenir vétérinaire. Je peux vraiment discuter avec lui, lui parler de ce que je ressens profondément en moi et je sais qu'il ne se moquera pas de moi.

— Ce n'est peut-être pas de l'amour. Il est vétérinaire. Il est habitué à écouter et à comprendre. Je suis persuadée que ça demande ces habiletés avec certains clients. Mon voisin a quatre caniches à pompons. J'imagine le scénario quand un de ses « bébés » a un rhume !

Tout ce que Catherine m'a dit pendant le dîner est très sensé… du moins ça l'était quand j'étais avec elle. Mais je sais ce que je ressens et j'ai confiance en mon intuition. Je sais que Bernard m'aime et que notre différence d'âge ne compte pas.

Quand j'arrive à la clinique à quinze heures, il

dépose une chatte dans une cage. Encore une ovariohystérectomie! Il me regarde et me sourit.

— Avant de commencer ton travail, Sophie, peux-
tu m'aider? Je dois couper les griffes à un chien,
ajoute-t-il très vite. C'est une façon d'en apprendre
un peu plus, si tu le veux.

Il est bien évident que je veux en connaître plus
que de nettoyer les cages et laver les planchers. Bernard va me donner cette chance. J'espère, par contre, ne plus vivre de sitôt une expérience semblable
à celle d'hier soir.

Le chien est un énorme bouledogue très nerveux et
bagarreur. Je me demande si nous réussirons à
l'immobiliser. Je lui tiens les pattes d'en avant le plus
fermement possible. Doucement, Bernard coupe les
griffes des pattes arrière.

— Ça aurait été plus facile si madame Berger était
restée, me dit-il en m'aidant à contrôler le chien,
mais elle devait accompagner ses enfants chez le den-
tiste. Elle reprendra Gonzo plus tard.

— Gonzo! dis-je en m'esclaffant alors que je lutte
contre toute la puissance de ce chien.

Je deviens plus sérieuse quand je sens que l'animal
se détend un peu.

— Bernard, au sujet d'hier soir, je suis réellement
navrée. Je savais que ça faisait partie du métier. Je
n'y avais encore jamais été confrontée. Il y a toute
une différence entre les livres et la réalité. Tu as dû
croire que je suis trop émotive.

— Pas du tout, Sophie. Je ne pensais pas que ça
arriverait si vite.

Je fais un signe de tête et manque d'être emportée par-dessus la table par Gonzo. Un petit moment d'inattention a suffi.

— Nous avons beaucoup de bouledogues ; le docteur Victorin est un spécialiste de cette race, m'explique Bernard.

— Et toi, quelle est ta spécialité?

— Les chevaux. Un de mes professeurs connaissait bien le docteur Victorin qui est un chirurgien formidable, et il m'a fortement recommandé de venir travailler ici. Un de ces jours, quand le docteur Victorin sera de bonne humeur, je lui demanderai de te laisser assister à une chirurgie. Tu aimerais ça?

— Oh, oui! C'est vraiment gentil de ta part de me permettre d'en apprendre le plus possible.

— Ça me fait plaisir, à moi aussi. Et, Sophie…

Je m'apprête à quitter la pièce. Je me retourne espérant ne pas avoir à partir tout de suite. Rester près de lui, l'aider à soigner un autre animal…

— Samedi après-midi, si tu n'as rien de prévu, j'aimerais te présenter Polka, ma douce moitié.

— Puisque je sais qu'il s'agit de ta jument, ça me fera plaisir. Si maman n'y voit aucune objection.

Je baisse les yeux. Je me sens plutôt mal à l'aise. Il ne doit pas être souvent sorti avec des filles qui devaient demander la permission à leur maman. Je suis honteuse.

— Ta mère. Oui, il faut que nous en parlions aussi. Je n'ai pas l'impression qu'elle aime te savoir en ma compagnie.

— Je vais arranger les choses. Tu m'appelles si tu

as encore besoin d'aide.

Je sors rapidement. Peu importe ce que dira maman, je suis bien déterminée à passer ma journée de samedi avec Bernard.

CHAPITRE SIX

Je ne veux pas cacher que je sors avec Bernard, mais je sais que maman fera des remarques.

Samedi matin en déjeunant, je prends mon courage à deux mains.

— Je ne rentrerai pas dîner.

— Où vas-tu après ton travail?

Je me verse lentement un verre de lait.

— Bernard, le docteur Lejeune, veut me présenter sa jument.

Silence complet. Je me plonge dans mon assiette. Après un instant, maman se décide à parler.

— Écoute, Sophie, tu as dix-sept ans. Je ne peux pas... je ne veux pas te dire ce que tu dois faire, quelles doivent être tes fréquentations, mais je ne crois pas que tu sois sur le bon chemin.

Comment maman peut-elle discuter ainsi de ma vie privée devant ma soeur et mon père! Si nous avions juste été toutes les deux j'aurais pu lui parler de Bernard, de mes sentiments envers lui... lui expliquer qu'il me convenait beaucoup plus que n'importe quel autre copain de mon âge que je connaissais.

— Il est plutôt de mon âge, Sophie, me dit Geneviève. Présente-le-moi... il me plaira peut-être.

— Tu n'aimes pas t'occuper des animaux, tu le sais!

— Je ne parle pas de travailler pour lui, mais de sortir avec lui.

— Sophie, dit maman en baissant la voix, les hommes plus vieux… bien, ils sont plus… ils ont plus d'expérience. Il pourrait abuser de toi, tu es si jeune et… et tu n'as aucune expérience avec les hommes.

La colère m'aveugle. Bernard n'est pas ce genre d'homme. Si seulement maman voulait apprendre à le connaître un peu mieux. Puis, je regarde Geneviève. Je sens qu'elle est prête à me défendre. Elle est de mon côté. Un sourire, un éclat de rire… comme c'est contagieux ! Nous rions toutes les deux à gorge déployée.

— Oh, maman, s'écrie enfin Geneviève après s'être calmée. N'importe quel homme essaierait d'abuser d'une fille si elle le laisse faire ou si elle l'incite à le faire. L'âge n'a rien à voir là-dedans. Tu le sais très bien. Sophie sait ce qu'elle fait. Elle l'a toujours su.

Si seulement maman riait avec nous. Mais elle doit s'imaginer qu'en agissant ainsi, c'est comme si elle approuvait mes sorties avec Bernard et, pour elle, c'est hors de question.

— Je ne vois pas ce qu'il y a de drôle. Je pense que tu cours après les problèmes, Sophie, et peut-être aussi, après bien des déceptions.

Papa regarde son journal, mais ne peut s'empêcher d'écouter d'une oreille.

— Sophie est assez grande, Constance. Elle sait ce qui lui convient et je suis sûr qu'on peut lui faire confiance. Après tout, elle n'épouse pas cet homme, elle rencontre son cheval.

Nouveaux éclats de rire. J'embrasse papa, dessers mon assiette et quitte la table.

— Merci, papa.

Je peux compter sur lui ; il va rassurer maman. Je me dépêche de partir avant qu'elle ne puisse ajouter quoi que ce soit.

C'est encore un samedi très occupé à la clinique. Bernard devrait avoir congé, mais puisque madame Chevrier est malade, tous les horaires de travail sont modifiés. Déjà deux urgences. Je le vois à peine.

Le docteur Victorin entre dans le chenil.

— Où est Bernard?

Il semble encore de plus mauvaise humeur que d'habitude.

— Une dame est arrivée avec un chien qui souffrait de distemper. Le chien a vomi et le docteur Lejeune m'a dit qu'il s'en occuperait seul.

— Il ne manquait plus que ça, gromelle le docteur, une épidémie de distemper. Cette dame était sûrement trop avare pour payer les coûts d'une consultation et des vaccins. C'est toujours comme ça, et, ensuite, elles nous amènent leurs problèmes... J'ai besoin d'aide.

Ce n'est pas une remarque, mais un commandement.

— Je vais essayer de vous aider, dis-je en le suivant.

Ses mains sont habiles et palpent doucement le ventre d'un labrador blessé. Une femme se tient dans un coin de la pièce, serrant dans ses bras un petit garçon qui pleure. Le docteur Victorin la regarde et secoue la tête.

— Sa colonne vertébrale est cassée et il a des hémorragies internes. On peut toujours prendre des radiographies, si vous insistez, mais…

— Je ne veux pas qu'il souffre, répond la femme. Faites ce qu'il faut.

Elle entraîne l'enfant vers la sortie.

Je sais quoi faire. Le chien souffre terriblement. Je le caresse et lui parle doucement pendant que le docteur Victorin prépare l'injection.

— C'est bien, Sophie, tu peux continuer ton travail. Merci.

Le reste de la matinée se passe en nettoyage. Lanouk me regarde du coin de l'oeil en attendant le départ.

En quittant la clinique, nous nous arrêtons à un casse-croûte. Après sa deuxième tasse de café, Bernard commence à se détendre un peu.

— Je suis désolé, Sophie. Je ne suis pas des plus agréables, aujourd'hui. La matinée a été dure.

Impulsivement, je pose ma main sur la sienne.

— Je le sais, j'y étais, moi aussi ; tu t'en souviens?

Son sourire me réchauffe jusqu'à ce que l'on arrive aux étables. C'est en dehors de la ville, tout près de la plage. Bernard prend un chandail à l'arrière de son camion et me le tend. Une odeur de chien, de cheval et d'homme l'imprègne. Je prends plaisir à frotter mon menton contre la laine rugueuse et ressens une agréable affinité avec les trois.

Bernard brosse Polka. Chacun de ses gestes est rempli d'amour.

Je me sens proche de cet homme qui à la fois m'excite et m'effraie. Je me dis, sans succès, que je le connais depuis seulement quelques jours. J'ai plutôt l'impression de l'avoir toujours connu.

— Ne t'inquiète pas, Sophie, elle est habituée à transporter deux personnes à la fois.

Comment a-t-il fait pour lire dans mes pensées? Il monte sans selle. Une simple couverture posée sur le dos de la jument afin de bien sentir le cheval sous lui.

— On dirait que tu as un cow-boy parmi tes ancêtres, Bernard, dis-je en riant et en grimpant derrière lui.

— Non, mais mon grand-père était le meilleur cavalier de la ferme. Je ne l'ai pas connu, mais il semble que j'aie hérité beaucoup de choses de lui, si j'en crois les histoires que l'on raconte dans ma famille.

Lanouk aboie et se met à gambader autour de nous. J'enlace la taille de Bernard et me tiens le plus droite possible. Lorsque Polka commence à galoper, je démissionne et me laisse aller contre Bernard en rebondissant lourdement sur la selle.

Bernard s'esclaffe quand nous nous laissons glisser en bas du cheval. La jument est essoufflée.

— Tout est dans les jambes, Sophie. Je vais te montrer. À la ferme, je montais toujours à cru, sauf quand les chevaux travaillaient.

Bernard me raconte tant de choses. Quelle merveilleuse sensation… cet empressement de me faire partager une partie secrète de sa vie.

L'après-midi se déroule comme tant d'autres après-midis d'un printemps à peine commencé, brumeux, avec de rares percées de soleil de temps à autre. Nous nous assoyons un peu sur les hauteurs, là où le sable est sec. Il n'y a que le bruit des vagues qui se brisent contre les rochers.

Nul besoin de parler. Le silence ne tombe pas entre nous, comme un malaise... il y a une sorte d'entente tacite, comme si nous communiquions malgré tout.

Lanouk apporte un bâton à Bernard qui se lève aussitôt et le lance de toutes ses forces. La chienne bondit en avant et Bernard la suit.

Polka flâne derrière moi, choisissant quelques plantes par ci par là. J'ai l'impression d'être seule au monde avec Bernard, Lanouk et Polka.

J'aperçois Bernard et Lanouk qui reviennent, épuisés. Lanouk se couche près de moi et Bernard se laisse tomber de l'autre côté du chien. Cette distance entre nous est-elle voulue?

— T'es-tu déjà demandé, Sophie, murmure-t-il soudain, songeur, si, quelque part au monde, il existe quelqu'un qui te soit parfaitement bien assorti? Qui est la personne qu'il te faut?

— Je pense... que les gens qui sont trop bien assortis, trop identiques... je veux dire qu'on veut avoir certaines choses en commun, oui, mais...

— Tu risquais de t'ennuyer avec une personne qui te ressemble trop? Tu préférerais un peu plus de diversité?

— C'est à peu près ça. J'aimerais quelqu'un qui ait

les mêmes valeurs, les mêmes intérêts, mais…

Je ne peux plus continuer. Il y a quelque chose de magnétique dans l'air.

— Sophie, je… je voudrais te dire…

À cet instant, des jeunes débouchent sur la plage en criant. Lanouk se lance à leur poursuite. Bernard se lève.

— Lanouk! Reviens!

Lanouk, honteuse, la queue basse, rejoint son maître. Tous deux reviennent vers moi. Bernard s'arrête, fronce les sourcils et me regarde avec insistance quelques minutes.

— Il se fait tard, Sophie. Je vais te reconduire avant l'heure du souper, sinon tes parents vont s'inquiéter.

Tristesse. Déjà rentrer… toute l'intimité qui s'était installée entre nous comme par magie, s'envole.

Il faudrait un peu d'ordre dans mes sentiments. Je ne peux plus ignorer l'amour que je ressens envers cet homme qui est entré si soudainement dans ma vie. Mais il y a de la tristesse aussi dans cet amour que je n'arrive pas à comprendre.

CHAPITRE SEPT

En y repensant bien, plus tard, beaucoup plus tard, toute la journée du dimanche, je me rends compte que ce n'est pas la première fois que je ressens des sentiments mitigés lorsque je rentre de la plage. Un sentiment de paix, de tranquillité, mais aussi une certaine mélancolie, une certaine tristesse. Comment se fait-il que l'eau m'affecte à ce point? Est-il possible que j'aie confondu l'amour que j'ai pour Bernard avec des sentiments aussi négatifs ; je ne comprends plus. Tout était si merveilleux… je suis certaine que Bernard partageait mon amour. On le voyait dans son regard, dans sa façon de me toucher. Que voulait-il me dire juste avant que ces jeunes n'arrivent sur la plage? « Sophie, je veux que tu saches que je t'aime. Sophie, la différence d'âge ne compte pas entre nous, nous nous complétons trop bien tous les deux. Nous sommes faits l'un pour l'autre. »

Toute la matinée du dimanche, je la passe dans ma chambre à écrire des rimes dans mon journal personnel. J'y inscris tout ce que je n'ose pas raconter à d'autres, tout ce que j'aurais aimé dire à Bernard. Puis je me plonge dans la liste de cours à suivre en médecine vétérinaire. Encore tant d'années avant d'atteindre le but que je me suis fixé. Une éternité ! C'en est presque décourageant !Je me dis que je dois prendre un jour à la fois, cours après cours, une année à la fois. Avancer lentement, mais sûrement. Et, tout d'abord, terminer mes inscriptions. Ce devrait déjà être envoyé. Qu'est-ce qui me retient? Toutes ces années d'études? Peut-être, mais il y a d'autres possibilités aussi.

Si j'aimais Bernard et s'il m'aimait... Et s'il y avait tant d'années d'études devant moi... Bernard accepterait-il d'attendre que j'aie terminé? Les mots de mon père résonnent à mon oreille : « Elle ne va pas épouser cet homme, elle va juste rencontrer son cheval ».

Tu n'as que dis-sept ans, Sophie. Alors pourquoi restes-tu là, assise, à rêvasser de mariage? Vous ne vous êtes même pas dit que vous vous aimiez!

Il faut que je me concentre sur ma chimie. Je ne sais pas comment, mais je trouve la force d'entrer dans le monde aride des formules chimiques et des diverses réactions.

Personne ne semble surpris de me voir étudier au lieu de regarder la télévision.

Après le souper, Catherine m'appelle. Elle a besoin d'aide pour des problèmes de mathématiques qu'elle ne comprend pas. Excellente excuse pour sortir un peu de chez moi, de cette ambiance familiale étouffante. Nous aurons peut-être aussi le temps de discuter entre copines.

Catherine vit avec sa mère. Ce soir, elle est seule chez elle. La maison est à nous. Nous discutons de choses et d'autres.

— Catherine, lorsque tu vas à la plage, est-ce que

ça te rend morose?

— Juste quand je suis amoureuse d'un gars.

— Hier, nous sommes allés à la plage et il m'a présenté sa jument et.. et… Crois-tu que, dans le monde entier, il y a un seul homme qui soit vraiment pour toi?

— Un? Juste un?

— Oui.

— Non. C'est beaucoup trop risqué. Je pense qu'il y a des tas de garçons dont je peux tomber amoureuse et qui peuvent tomber amoureux de moi.

— Mais un garçon qui s'entend parfaitement avec toi, qui aime ce que tu aimes, qui a les mêmes valeurs, les mêmes croyances…

— Sophie, je ne savais pas que tu pouvais être aussi romantique. Tu m'as caché beaucoup de choses ces dernières années. Pour moi, tu étais surtout une scientifique, avec tous ces cours en sciences que tu as choisis.

— N'oublie pas que je n'avais pas le choix, si je veux vraiment devenir vétérinaire.

— Écoute, Sophie. Ma mère pensait qu'elle avait trouvé l'homme qui lui convenait, le seul, l'unique. Il l'était peut-être, il y a dix-huit ans. Soudain, ils se sont rendu compte qu'ils n'étaient plus heureux ensemble. Et ce soir, maman est sortie. Elle ne doit certainement pas croire qu'il y a un seul et unique homme qui lui convienne, sinon elle serait ici avec nous à regarder la télévision et à grignoter des croustilles.

Cette façon de voir les choses me dérange ; penser

aimer un homme toute une vie et ramasser les morceaux par la suite.

— Mes parents sont toujours ensemble et sont heureux. Ils s'entendent très bien. Pour certains, il y a peut-être une seule personne qui leur convienne. Pour d'autres, il y en a peut-être plusieurs.

— Hé, si on doit passer la soirée assises ici à t'entendre parler de mariage, j'aime autant aller au cinéma, me dit Catherine en se levant.

— Et tes mathématiques?

— Je bloque seulement sur un problème. Je le travaillerai demain matin. Je voulais avant tout un peu de compagnie et, sans une urgence, tu ne serais jamais venue. Mais tu n'es pas des plus intéressantes ces jours-ci, avec tes yeux rêveurs, à parler d'homme idéal et d'amour.

— Navrée, mais c'est la première fois que ça m'arrive.

— Espérons que ça ne t'arrivera pas trop souvent.

Au milieu du film, il nous faut partir. Je n'aime pas ça, mais demain, les cours recommencent. De toute façon, je ne pense qu'à Bernard.

Catherine avait raison. Je n'étais pas une compagne des plus agréables. Bernard m'apparaît toujours comme l'homme idéal, le prince charmant, le Robin des bois, le Prince Arthur. Mais je ne suis plus mélancolique.

— Pourquoi ne lui dis-tu pas que tu l'aimes tout simplement, et tu lui demandes si lui, il t'aime aussi, m'explique Catherine en se dirigeant vers la voiture.

— Quoi? Je ne peux pas faire ça, Catherine!

— En tout cas, tu dois faire quelque chose, et vite, si tu veux mon opinion.

Elle doit avoir raison. Je ne peux pas continuer comme ça, c'est vrai.

Les cours ne sont plus qu'une obligation. Le lundi n'est pas différent des autres. Une seule hâte : finir au plus vite pour voir Bernard dans l'après-midi. Déception. Il n'est pas à la clinique. Madame Chevrier m'explique qu'il a pris une journée de congé parce qu'il avait travaillé samedi. Aucune chance de poursuivre la conversation commencée sur la plage ou encore de nous avouer notre amour l'un envers l'autre.

Quelle n'est pas ma surprise de voir son camion se stationner devant la clinique pendant que je promène Béatrice, une chienne bouledogue qui doit avoir un détartrage dentaire le lendemain matin. Eh oui, un détartrage ! J'ai bien ri en regardant son dossier. Elle n'a pas dû se brosser les dents avec du Crest tous les jours. Je me dépêche... je vais voir Bernard. Il est peut-être venu pour me voir, ne pouvant attendre jusqu'à demain.

Mon sourire s'éteint en voyant une splendide blonde accrochée à son bras. Le jean délavé et le vieux chandail qu'elle porte n'enlèvent rien à son éclat.

Tout mon monde fantastique dans lequel je me renfermais de plus en plus s'écroule en un rien de temps. Avec une si belle femme dans son entourage, comment pourrait-il s'attarder à une simple fille de dix-sept ans qui promène les chiens et nettoie les cages?

Une enfant qui garde une place bien spéciale dans son coeur pour les chiens, les chats et les chevaux. Et qui est suffisamment écervelée pour penser qu'un vétérinaire soit tombé amoureux d'elle.

Si je ne me sentais pas si vide, je rirais de tant de stupidité. Je m'assois dans le fond de la cour, sur les marches conduisant à la remise. Béatrice s'assoit à mes côtés et attend patiemment.

Puis-je rester ici assez longtemps pour ne pas rencontrer Bernard et son amie? Éviter les présentations.

— Je suis une gentille fille, Béatrice. Une bonne copine et une idiote rêveuse.

Béatrice m'écoute sans broncher pendant que je lui explique à quel point je me suis laissé prendre au jeu, à quel point je peux être stupide. Jamais Bernard ne saura, ça, je le promets. J'espère simplement qu'il n'a pas su lire ce que je ressentais à son égard. La prochaine fois que je vais le voir, je saurai me contrôler. Bien sûr, nous sommes de bons amis, de bons copains, un peu comme une relation professeur-étudiante. Je n'ai jamais pensé que le baiser échangé lors de notre première rencontre était sérieux. Juste la façon dont tu me regardais... Je ne suis pas si facile à duper.

La chienne les entend partir avant moi. Bernard jette un coup d'oeil vers l'arrière de la clinique. Le rire éclatant de la jeune fille retentit dans cet après-midi de printemps. Je ne veux pas vraiment la connaître, mais j'arrive à temps pour voir Bernard la bousculer gentiment. Elle le pousse à son tour en rigolant et tous deux courent au camion.

Le soleil se cache derrière un gros nuage. Le coeur lourd, je rentre Béatrice dans le chenil et passe un imperméable avant de sortir les autres chiens.

Le reste de la journée se passe entre l'odeur d'ammoniaque, les litières des chats, le balai et la vadrouille. Le docteur Victorin me retrouve installée dans le chenil, un chiot épagneul dans les bras.

— Il est temps de partir, Sophie. Remets ce petit chien dans sa cage. Tu ne dois pas t'attendrir autant sur les animaux si tu veux devenir une bonne vétérinaire. Tu dois t'endurcir.

Je pense qu'il a tout à fait raison. Je le sais très bien. Je dois m'être déjà endurcie d'ici à demain. Avant de revoir Bernard.

CHAPITRE HUIT

Je ne vois pas Bernard le lendemain puisqu'il n'est pas à la clinique. Puis j'attrape un rhume… comme autodéfense? Je n'ai pas été malade depuis des années. Madame Chevrier me dit que je dois rentrer me reposer et ne revenir que lorsque je serai guérie. Je reste à la maison et je dors toute la journée. Suis-je réellement malade? Ou simplement désolée de ce qui m'arrive?

Le jeudi, me sentant un peu mieux, je réapparais à mes cours. Au dîner, Catherine me bombarde de questions.

— Que se passe-t-il, Sophie? Tu n'es jamais malade. Tu as découvert que tu t'étais trompée au sujet de Bernard, n'est-ce pas?

Pourquoi met-elle toujours le doigt sur ce qui ne va pas?

— Tu écoutes trop de romans savon, Catherine. J'ai tout simplement eu un rhume.

— J'ai lu que c'était un excellent moyen d'autodéfense, une façon de se couper du monde pour un jour ou deux.

À quoi ça sert de camoufler mes problèmes? Surtout à une copine comme Catherine. Une bonne discussion aidera peut-être. Je regarde fixement mon sandwich.

— Bon, tu as raison. Il est venu à la clinique avec une beauté à son bras.

— Une femme de son âge?

— Oui. J'ai été bien bête de tomber amoureuse de lui. Je serai peut-être capable d'en rire dans une dizaine d'années.

— C'était peut-être sa soeur, me dit Catherine pour essayer de me réconforter.

— Non, il m'a dit qu'il avait quatre frères.

— Sophie, il est temps que tu retombes les pieds sur terre. Mathieu Miron est toujours assis à côté de nous, tous les jours, au dîner, depuis trois semaines. Il te dévore des yeux. Il est encore là. Souris-lui.

Ma curiosité l'emporte. Mathieu est un nouvel étudiant. Effectivement, il me regarde. Je me sens gênée.

Encouragé parce que je l'avais enfin regardé, il se lève et vient vers nous.

— Bonjour, Sophie. J'ai entendu dire que tu es spécialiste des animaux. Si je peux persuader mon chien de tomber malade, samedi soir, accepterais-tu de passer le voir? En échange de tes judicieux conseils, je pourrais t'inviter au cinéma.

— Tu dois admettre que c'est une invitation plutôt originale, s'exclame Catherine en souriant à Mathieu. Je crois que tu devrais aller voir ce chien.

— Je… je… je pense…

Qu'est-ce que je pense? Mathieu est un gentil garçon. Il n'y a pas très longtemps, j'aurais accepté son invitation. Mais il me semble si jeune. Ma mauvaise habitude refait surface ; il me fait penser à un jeune setter irlandais, avec ses cheveux roux frisés et ses taches de rousseur.

— Quelle race de chien as-tu?

— Un setter irlandais, une jeune femelle. Elle a un long pedigree. C'est un animal très fragile qui a souvent besoin des services de professionnels.

J'éclate de rire.

— Je vais vérifier mon agenda. Je peux te répondre demain? Les setters irlandais sont hyperactifs ; je dois m'assurer d'avoir assez d'énergie pour m'en occuper.

— Bien sûr. J'espère que tu seras libre. Ma chienne, Narcisse, et moi l'apprécierons tous les deux.

— Mais pourquoi n'as-tu pas accepté, Sophie? me demande Catherine en regardant Mathieu sortir de la cafétéria. As-tu des projets pour samedi? Mathieu n'est pas mal du tout.

— Je ne sais pas, Catherine, il me semble si jeune !

— Tu es vraiment snob. Tu préférerais peut-être quelqu'un de l'âge du directeur de l'école? me demande Catherine en voyant ce dernier se diriger vers notre table.

Nous éclatons de rire.

— Oh, Catherine, tu as parfaitement raison. Je suis vraiment trop égoïste. Que faire?

— Accepte l'invitation de Mathieu samedi soir. Ça ne te fera aucun mal. Tu peux t'amuser avec quelqu'un de ton âge et passer de bons moments, tu sais.

J'ai déjà du bon temps. Mon travail est un vrai

plaisir et, en prenant l'autobus pour aller à la clinique, je suis furieuse contre moi. Je me rends compte que j'ai laissé mes problèmes personnels, c'est-à-dire un homme, s'interposer dans des projets qui me tiennent vraiment à coeur. Pourquoi ma vie est-elle devenue si compliquée? Le travail et les études, c'est suffisant pour le moment. Ma vie sans homme était beaucoup plus facile.

Je ne veux pas redouter de sortir avec un garçon de mon âge. Dès que je revois Mathieu, je lui dis que j'aimerais bien sortir avec lui ce soir plutôt que samedi soir. Ainsi, j'ai moins de temps pour revenir sur ma décision ou trop réfléchir.

— Je veux vraiment te présenter mon chien, dit-il, radieux. Je passe te prendre à dix-neuf heures, d'accord?

Il me fait rire.

— Est-ce déjà une sortie sérieuse? J'ai entendu parler des hommes qui insistaient pour présenter leur petite amie à leur mère. Mais des chiens, c'est beaucoup plus sérieux. Si je ne lui plais pas, devras-tu me raccompagner immédiatement chez moi?

— Probablement, grimace Mathieu. Mais mon intuition me dit que vous allez vous entendre merveilleusement bien. Je vais lui dire tout ce que je sais sur toi avant que tu n'arrives, juste au cas. C'est généralement une bonne idée de préparer les chiens et les mères à l'arrivée d'une nouvelle personne dans votre vie ; les deux ont plutôt tendance à être possessif !

Je vais travailler le coeur léger. Mathieu me fera

du bien. Le camion de Bernard n'est pas devant la clinique. Il doit avoir pris une autre journée de congé pour être avec sa belle amie. Je ne dois pas m'en faire et me concentrer sur mon travail.

Maman boit un café dans la cuisine.

— Je suis contente que tu sortes enfin avec un garçon de ton âge, Sophie. Ça va t'aider à oublier cette amourette avec le vétérinaire.

J'espère qu'elle a raison, mais je n'ose pas le lui dire. Je monte me changer.

Mathieu entre chez nous comme un ouragan. Tellement à l'aise que nous avions tous l'impression de le connaître depuis toujours. Adopté d'office par la famille, je suis certaine que l'on va m'inciter à le rencontrer de nouveau. Quel comique !

J'ai décidé de m'amuser, de laisser Mathieu me changer les idées, et je me rends vite à l'évidence qu'il en est tout à fait capable.

Nous parlons de l'école en allant chez lui. Il tient toujours à me présenter Narcisse. Le chien attend nerveusement la permission de son maître pour se lever.

— Tu ne m'as pas dit que c'était un chiot ?

J'éclate de rire et secoue la patte que Narcisse me tend. Il saute autour de moi, visiblement content de me voir.

— Non, je n'ai pas dit ça. C'est une jeune adolescente avec tout le charme et l'exubérance de cet âge.

Tel maître, tel chien. Narcisse et Mathieu vont

vraiment bien ensemble. Il y a même une certaine ressemblance dans leur personnalité et leur couleur.

— Narcisse?

La chienne s'assoit immédiatement et regarde Mathieu d'un air interrogateur.

— Puis-je avoir la permission de sortir avec cette charmante jeune fille?

Je suis certaine que Mathieu lui a fait un signal quelconque parce que Narcisse se met à aboyer à trois reprises en guise de réponse.

— Un aboiement, non, trois, oui, traduit Mathieu. Permission accordée.

J'éclate de rire encore une fois.

— Samedi, c'est la soirée des films. Ce soir, la soirée des pizzas sur feu de bois et des jeux vidéos. Es-tu déjà allée au nouveau magasin bourré de machines à jeux vidéos?

— Non. Je dois admettre que ces jeux ne m'ont jamais vraiment tentée.

Mathieu est très sympathique. Je me détends. Les remontrances de Catherine me reviennent à la mémoire : trop sérieuse, hautaine, snob... Finalement, je prends plaisir aux jeux vidéos. Bientôt je me surprends à rire et même à crier.

Épuisée, je me laisse tomber sur une chaise en arrivant au restaurant.

— J'ai dû brûler au moins cinq mille calories. Je suis affamée. Voyons un peu, je te dois exactement trois dollars et vingt-cinq sous. Est-ce que tu vas pouvoir payer ma moitié de pizza avec ça?

— Le pari était juste pour rire, me dit Mathieu en

repoussant mon argent. C'est moi qui t'invite.

— Non, non, non. Il ne sera pas dit que je ne respecte pas mes paris. J'exige que tu me traites comme ton égale. J'ai perdu. Ton expérience t'a bien servi.

— Je savais que je gagnerais. Ce n'est pas pour rien que j'ai proposé de parier notre argent de poche.

— Argent de poche? Tu veux rire, c'est de l'argent gagné à la sueur de mon front. Nettoyer les cages des chiens et des chats n'est pas ce qu'il y a de plus excitant.

— Mais tu aimes ce travail, non?

— Oui, j'aime ça. Et ça me donne de l'expérience dans le domaine des animaux. C'est utile si je veux devenir vétérinaire, un jour.

— Tu vas vraiment exercer ce métier? C'est comme devenir médecin. Combien d'années d'études?

— Au moins six années, si je compte mes années de cégep. Mais c'est ce que je veux faire de tout mon coeur. Je n'ai jamais voulu faire autre chose.

Je ne veux pas discuter de ça toute la soirée. Oublier un peu la clinique, le travail…

— Que vas-tu faire l'an prochain, Mathieu?

— J'aimerais le savoir, mais je ne suis pas aussi déterminé que toi. Étudier en commerce, peut-être. Beaucoup d'étudiants font leur cégep sans trop savoir où ils se dirigent. Je serai de ceux-là.

— Tu te détacheras toujours de la masse, Mathieu. Tu as trop d'éclat.

Il me regarde sérieusement, les yeux brillants. J'évite de le regarder. je fais tourner les glaçons dans mon verre. Je ne veux pas que notre relation devienne trop sérieuse.

— Je dois faire la file pour que tu m'accordes une sortie?

— Ce n'est pas vrai. Seul mon travail entre en compétition. Mais quelle compétition!

— Je t'aime bien, Sophie. Je t'aime même beaucoup.

— S'il te plaît, Mathieu, il ne faut pas. Restons amis.

— Tu dois me mentir lorsque tu me parles de compétition. Je comprends que tu aies de longues heures d'études et de travail, mais une fille comme toi doit avoir plein de soupirants.

Je croyais en avoir un. Je me suis trompée. Il est hors de question que j'encourage qui que ce soit.

— Oui, un nombre incroyable. Narcisse m'aime bien… et je crois que mon professeur de biologie aimerait aussi me garder comme étudiante.

— D'accord, j'attendrai mon tour. Les setters sont reconnus pour leur entêtement…

— Et leur voracité. Tu fais semblant de ne pas remarquer que notre pizza est sur le comptoir depuis tout à l'heure, espérant ne pas la partager avec moi. Je vais la chercher.

Mathieu est de très agréable compagnie, mais je refuse de lui laisser un quelconque espoir et d'accepter une autre sortie avec lui pour le moment. Catherine était satisfaite que j'accepte cette sortie et maman, ravie.

Après le repas, je refuse de retourner aux jeux

vidéos. J'ai des cours demain, il ne faut pas l'oublier. Mathieu me raccompagne chez moi. Avant de partir, il me prend par le bras, me serre contre lui et m'embrasse. C'est un baiser amical, chaleureux et doux, mais je ne ressens rien de comparable à ce que j'avais ressenti lorsque Bernard m'avait embrassée dans son camion.

Pourrai-je un jour m'arrêter de penser à lui? Embrasser quelqu'un d'autre sans me remémorer le baiser de Bernard? Je le connais depuis si peu de temps et voilà qu'il fait partie de mes rêves et de mes attentes face aux hommes.

Le jeudi, je retourne travailler à la clinique avec la ferme décision de faire comme si rien ne s'était passé entre Bernard et moi. Nous sommes amis, un point c'est tout, Je dois m'en convaincre. Bernard est juste un homme parmi tant d'autres. Je me remémore les paroles de Mathieu. Bernard devrait faire la file, lui aussi, pour sortir avec moi. Cette idée me fait sourire.

Je m'occupe d'un chat qui se remet doucement d'une intervention chirurgicale lorsqu'il entre dans la chatterie.

— Sophie, je suis content de te revoir. Tu vas bien, maintenant?

D'après son sourire, il est content de me voir. Il s'inquiète de ma santé. Comment peut-il agir de cette façon s'il n'y a vraiment rien entre nous? Il doit être comme ça avec toutes les femmes.

— Oh, oui. C'était juste un rhume. As-tu passé de bonnes vacances?

— Quatre jours de congé, ce ne sont pas de vraies vacances. Mais oui, j'en avais grand besoin. Je me sens encore plus sociable que d'habitude. Ça va me servir pour ce soir. J'ai été invité à une soirée. La seule chance d'y survivre est que tu m'y accompagnes. Tu veux bien? Nous n'aurons pas besoin de rester très tard. Nous pouvons juste faire acte de présence et partir.

Je ne sais pas quoi faire. J'aimerais me mettre dans une colère noire et refuser. J'avais décidé que Bernard avait une petite amie. Je ne la connais pas, mais je suis incapable d'entrer en compétition avec elle. De ce fait, j'ai inscrit Bernard sur ma liste d'attente… à la fin de ma liste. J'ai admis, à moi et à Catherine, que tout n'avait été qu'un rêve et maintenant…

Il se tient devant moi avec son sourire qui me désarme, attendant une réponse. La liste s'envole. De nouveau, il n'existe plus que Bernard.

Je m'entends accepter l'invitation. Je devrai peut-être me battre encore une fois avec maman, mais si seulement je pouvais parler à Bernard… Mettre les choses au clair ; savoir ce qu'il attend de moi.

Même si je suis blessée, si je dois encore une fois le chasser de mon esprit, il faut que je sache.

CHAPITRE NEUF

Quelle surprise au dîner! Lorsque j'annonce que je dois sortir avec Bernard, maman ne fait aucune remarque. Elle avait fait connaissance, au cours de la journée, d'une dame qui devait aller en Inde. Elle est encore tout excitée de cette rencontre et, de plus, elle doit aller au cinéma avec papa. Bernard arrive vers dix-neuf heures trente et mes parents sont déjà partis.

— Pas de mère en colère pour m'accueillir? demande-t-il en fronçant les sourcils.

— Pas du tout. Elle t'intimide tant que ça?

Le temps est à la pluie. Je prends mon imperméable pour sortir.

— J'en ai bien l'impression, et elle a probablement raison.

— Raison? À quel sujet?

— Je suis beaucoup plus âgé que toi, Sophie. Ça m'inquiète, moi aussi.

Je ne veux pas parler de mon âge ou du sien. Par contre, une question me brûle les lèvres. Au sujet d'une belle blonde de son âge. Comment amener la conversation là-dessus? Je ne peux tout de même pas lui demander où est sa petite amie ; ou encore sa fiancée?

— Où est Lanouk? finis-je par dire.

— Elle ne me chaperonne pas toujours. Je voulais peut-être t'avoir un peu à moi tout seul, blague-t-il. Mais sans Lanouk, tu n'es plus obligée de t'asseoir tout près de moi alors, de toute façon, je suis perdant.

L'invitation est claire, mais je garde mes distances. Malgré mes peurs et mes déceptions au sujet de son amie, je suis contente de me retrouver dans son vieux camion. Il agit comme si rien ne s'était passé, mais il ne sait pas que je l'ai vu avec son amie.

Lorsqu'on arrive, la fête bat son plein. Des jeunes de l'âge de Bernard, en jean, sortent de partout. Notre hôte, Olivier Dubé, un homme riche et élégant, vient à notre rencontre. Son nom me dit quelque chose. Je crois qu'il est propriétaire d'une immense ferme un peu plus au nord.

Bernard va nous chercher des rafraîchissements. Je me sens mal à l'aise seule au milieu de la pièce. Je ne connais personne.

Lorsqu'il revient, je voudrais être dix pieds sous terre. La merveilleuse blonde est suspendue à son bras. Un autre lévrier afghan, comme ma grande sœur. Un doux parfum de fleurs sauvages l'enveloppe. Qu'elle est belle! Comme elle est différente de moi! Elle semble s'accrocher fermement au bras de Bernard.

— Elle est là, Louise. La fille dont je t'ai parlé. Louise Berthiaume je te présente Sophie Delage, future vétérinaire. Docteur Delage.

— Je suis très heureuse de te connaître, Sophie, me dit Louise en me tendant une jolie main menue.

Je lui souris.

— C'est beaucoup mieux ainsi, ajoute-t-elle. La personne dont Bernard m'a parlé pendant deux jours de suite n'a pas le droit d'être aussi sérieuse que tu l'étais quand je suis arrivée.

— Bernard a parlé de moi?

— Sans arrêt. Au risque de te décevoir, je commence à être un peu fatiguée d'entendre parler de la façon dont tu t'y prends avec les animaux et de tes projets. Surtout quand je veux que ce merveilleux jeune homme m'accorde toute son attention.

— Je me suis toujours occupé de toi, Louise. Tu le sais.

— Je t'aime bien moi aussi, espèce de vieux docteur.

Louise se lève sur la pointe des pieds et embrasse Bernard. Pourquoi m'a-t-il amenée ici? Pour connaître cette femme? Pour me mettre mal à l'aise devant leur comportement d'amoureux? Je voudrais être assez forte pour leur tourner le dos et m'en aller, mais je reste là, extasiée. Bernard ne sent-il pas mon embarras?

— Si tu m'aimes, s'exclame-t-il, alors pourquoi as-tu disparu pendant trois longues journées lorsque je t'ai présenté mon ami, Marc?

Je sais que Bernard est sincère envers elle. Je peux le lire dans son regard.

— Ah, tu l'as remarqué? J'ai donc enfin réussi à avoir un peu d'attention. Mais c'est trop tard! Nous annonçons nos fiançailles à cette soirée.

— Après seulement trois jours! Je savais que tu aimerais bien Marc, mais il est plus vite en affaires que je ne le croyais.

Bernard serre Louise contre lui, heureux d'entendre cette nouvelle.

J'ai l'impression que des papillons tournent au-dessus de ma tête. Louise n'avait rien à voir avec Bernard et elle venait de lui annoncer son prochain mariage. Bernard la regarde se perdre parmi les gens, probablement à la recherche de Marc.

— Quelle femme ! s'exclame Bernard. Nous sommes des amis d'enfance. Je ne pensais jamais la retrouver ici.

Il m'entoure les épaules de son bras et sourit.

— Laisse-moi aller féliciter Marc ; nous pourrons partir ensuite.

J'aimerais discuter dans un endroit un peu moins bruyant.

J'attends que Bernard revienne. Je me sens beaucoup mieux depuis l'annonce du mariage de Louise, bien qu'un peu gênée de me retrouver de nouveau seule.

— Excuse-moi, me dit Bernard en revenant.

Il me prend par le bras et me guide vers la sortie.

— Marc n'arrêtait pas de me remercier de lui avoir présenté Louise et après, une femme que je ne connais pas, m'a posé toutes sortes de questions sur sa jument qui devait mettre bas d'un jour à l'autre. J'ai essayé de la calmer un peu et de la persuader d'appeler son vétérinaire.

L'air est humide. Bernard prend ma main et nous retrouvons son vieux camion entouré d'une Mercedes et d'une Triumph.

— J'espère que cette sortie ne te fera pas rechuter!

Drôle. C'est comme si je n'avais jamais été malade. Ce rhume était-il avant tout dans ma tête? Oui, bien sûr, mais était-ce psychosomatique? Une façon adroite d'éviter de penser à Bernard? Soudain, tout est merveilleux. Louise n'est qu'une bonne amie pour Bernard et, en plus, il préfère être seul avec moi plutôt qu'avec ses amis.

— Je vais très bien, Bernard. J'ai juste un peu froid, c'est l'air humide.

Avant de démarrer, il va chercher une couverture à l'arrière du camion qu'il enroule autour de mes jambes. Il m'installe tout contre lui. La pluie se met à tomber de plus en plus fort. Nous apprécions le confort douillet de notre petit monde. Bernard conduit jusqu'au bord de l'eau.

Son bras m'entoure et je me laisse aller contre son épaule. Une légère odeur de cheval se dégage de son chandail.

— Louise est tout un phénomène, ne trouves-tu pas?

— J'ai cru un instant qu'elle était ta petite amie, ou ta fiancée. Je vous ai vus à la clinique lundi.

— J'aurais aimé que tu sois un peu jalouse, Sophie.

Je me mets à rire pour éviter de lui répondre.

— Sophie, dit doucement Bernard en tournant mon visage vers le sien. Sais-tu à quel point je m'inquiète à ton sujet?

Ses lèvres se posent sur les miennes. Je sais cette fois-ci que ce baiser n'est pas accidentel. Les circonstances sont semblables, mais Bernard me connaît beaucoup mieux et Lanouk ne nous a pas poussés l'un contre l'autre.

— Je t'aime, Sophie. J'ai essayé de refouler ce sentiment ; je me suis dit que tu étais trop jeune. Que je devrais réagir. Que je ne devais pas être trop accaparant parce que je sais que tu n'as pas vraiment d'expérience avec les hommes. Mais ensuite, j'ai pensé à toute la détermination que tu as. Tu te connais très bien et tu sais ce que tu veux dans la vie. Je n'ai jamais senti la différence d'âge entre nous. Tu me sembles même parfois plus vieille que moi.

— Suis-je tellement sérieuse? Tellement renfermée?

Je prends le temps d'absorber ce que Bernard vient de me dire. Ce n'est pas mon imagination, il m'aime réellement.

— Tu n'es pas du tout renfermée, Sophie. C'est un cliché pour dire que tu es très mûre pour ton âge. Tu as tout ce que j'ai toujours rêvé chez une femme. Quelqu'un avec qui partager mes intérêts ; quelqu'un de sensible et de compréhensif ; quelqu'un auprès de qui je suis bien. Dis-moi, toi, Sophie, ce que tu ressens. Que penses-tu de tout ce que je viens de te dire. Est-ce que je suis aussi important pour toi que tu l'es pour moi?

Je tire sur un fil qui dépasse du chandail.

— Je t'ai aimé à l'instant même où je t'ai vu pour la première fois, Bernard. Au début, j'ai cru que ce n'était qu'une amourette parce que tu es beaucoup plus vieux, mais dès que nous étions seuls, la différence d'âge ne comptait plus. Maman est inquiète.

Tu avais raison quand tu parlais de ses objections et mes amis pensent tous que ce n'est pas sérieux. Je ne me sens pas à l'aise avec tes amis. J'ai vraiment l'impression d'être très jeune. Tout ce dont je suis sûre, c'est de mes sentiments envers toi.

Tout ce que je sais pour le moment, c'est que j'ai l'impression de voler comme un oiseau parce que j'ai enfin exprimé à haute voix ce que je ressens. Nous nous embrassons de nouveau.

— Bernard, dis-je en m'éloignant légèrement de lui, je ne peux pas penser à l'avenir. Pouvons-nous tout simplement profiter pleinement de cette soirée? Du moment présent?

— Tout ce qui m'importe, Sophie, c'est de savoir que tu m'aimes. Nous discuterons des problèmes plus tard.

Des problèmes! Peut-il y avoir des problèmes si Bernard m'aime? Je sais parfaitement bien qu'il y en a.

CHAPITRE DIX

Mathieu me téléphone samedi matin. Je suis encore attablée devant mon petit déjeuner. Bernard m'a demandé de ne pas arriver à la clinique avant neuf heures. Ma santé l'inquiète ; il veut à tout prix que je me repose.

— Prends une bonne nuit de sommeil. Tu pourras travailler un peu l'après-midi s'il le faut, ou je t'aiderai.

J'ai dormi à poings fermés. Cela ne m'était pas arrivé depuis des jours.

Mathieu est si loin dans mes pensées... je lui demande de me répéter son nom. Pas très bon pour son ego, mais il a l'air si sûr de lui.

— Je te verrai lundi, dis-je enfin après lui avoir expliqué que je suis occupée toute la fin de semaine.

— Qui était-ce? demande maman en se versant une tasse de café.

— Un copain d'école. il voulait que je l'accompagne au cinéma ce soir.

Cette nuit de sommeil et un bon café, comme je me sens bien. D'attaque pour le travail. Il me tarde de revoir Bernard après notre soirée d'hier. Je peux enfin me laisser aller à mes sentiments. Dois-je en parler à maman? Comprendra-t-elle, maintenant que c'est un fait?

— Est-ce que c'était Mathieu? J'aime bien ce garçon. Pourquoi ne sors-tu pas avec lui ce soir?

— Je… je ne veux pas sortir ce soir.

Non, je ne peux pas lui en parler. Elle ne comprendrait pas. Elle s'objectait carrément à l'idée que Bernard et moi puissions vivre quelque chose de merveilleux et de vrai. Maman ne ferait que tout gâcher et je ne veux surtout pas discuter de ça.

Maman boit son café en me regardant intensément. Pas de questions, je t'en supplie !

— Sophie, nos amis les Gramont seront ici la semaine prochaine. Johanne m'a appelée hier soir. Sa mère est malade, et ils veulent voir ce qu'ils peuvent faire pour l'aider. Renaud sera avec eux et je veux que tu t'occupes de lui.

Renaud Gramont. Les Gramont avaient été nos voisins pendant plusieurs années. Je n'avais jamais aimé Renaud depuis qu'il avait donné un coup de pied à Chachatte qui surveillait les oiseaux dans leur jardin. Il détestait les chats. Je lui avais alors donné un bon coup de pied sur le mollet. J'avais dix ans, il en avait onze. Nous ne nous étions jamais entendus. Quel soulagement lorsque j'avais appris qu'il déménageait.

— Maman, je ne peux pas sortir avec Renaud. Tu sais que je ne l'ai jamais aimé.

— Vous étiez jeunes à l'époque. Il a dix-huit ans maintenant. Il doit être probablement très beau. Johanne m'a dit qu'il voulait devenir avocat.

Je me l'imagine donnant un coup de pied à un membre du jury qui est distrait.

— Tu ne peux pas refuser, Sophie. Tu finiras bien par oublier cette amourette avec ce vétérinaire si tu rencontres un peu plus de garçons de ton âge. Les Gramont viennent souper ici vendredi soir. Après tout, Renaud et toi pourrez aller voir un film.

Que puis-je dire? Maman, je suis amoureuse de Bernard; il n'y a donc aucune raison que je sorte avec Renaud. En fait, j'ai deux choix : lui dire la vérité et passer des heures à lui expliquer ce que je ressens vraiment, ou ne rien dire et accepter de sortir avec Renaud. Il me reste encore une semaine pour trouver un alibi valable.

— Je vais y penser. Pour l'instant, je dois aller travailler.

— Il n'y a rien à penser, Sophie. Je te demande de le faire pour moi.

Quand maman décide quelque chose, avant de lui faire changer d'idée...

Il y a beaucoup de travail à la clinique. Quel capharnaüm! Les chiens aboient, les chats réclament leur déjeuner... En plus, il y a trois urgences. Bernard et moi travaillons sans relâche jusqu'à trois heures.

— Si je n'ai rien à me mettre sous la dent bientôt, annonce Bernard, je vais m'attaquer à la nourriture pour chiens.

Je viens juste de ranger les instruments dans l'autoclave, ce qui termine le ménage de la salle de chirurgie.

— Qu'est-ce que tu préfères : du Science diète ou du Iams?

— Que dirais-tu de mets chinois? On peut les commander par téléphone, passer les prendre et les manger sur la route, en allant à l'étable. Peux-tu rester jusqu'au souper? Je ne voudrais pas que tes parents s'inquiètent.

— Bien sûr. J'adorerais monter à cheval.

Je ne veux surtout pas rentrer chez moi. Rester avec Bernard le plus longtemps possible...

Nous mangeons à toute allure en discutant de la matinée.

C'est merveilleux de me retrouver sur cette jument, mes bras entourant la taille de Bernard. Cette fois-ci, je me serre tout contre lui. Nous montons pendant deux longues heures sur la plage. Le rythme des vagues déferlant sur la grève, les muscles de la jument qui ondulent sous mes jambes et sa démarche tantôt lente, tantôt rapide, me mettent dans un état euphorique. Je fais le vide complet. Tous mes problèmes s'effacent. Il n'y a que Bernard, moi et quelques animaux.

J'aimerais que l'après-midi n'en finisse plus. Constater que Bernard m'aime, que moi aussi, je l'aime, et que nous galopons tous deux dans le temps sans la moindre interférence... Il n'y a pas de mots pour décrire ce que je ressens.

Lorsque la nuit tombe, après un coucher de soleil fabuleux, nous rentrons Polka dans sa stalle et la brossons ensemble. Cette balade nous a rapprochés. Bernard murmure dans l'oreille de la jument et lui offre un morceau de sucre.

Il me prend ensuite par la main et nous courons

jusqu'au camion, Lanouk sur les talons. Je ne dois pas rentrer trop tard ; nous avons un repas de famille ce soir et papa y tient beaucoup.

Nous rentrons en silence, la tête pleine de ce que nous venons de vivre ensemble. Nul besoin de mots pour communiquer. Assise tout près de Bernard, je serre Lanouk par le cou. De temps à autre, Bernard me prend la main.

En sortant du camion, Bernard m'agrippe le bras. Je m'arrête, surprise et le regarde.

— Nous sommes faits l'un pour l'autre, me dit-il avec douceur.

Son regard appuie chacun de ses mots. Comme il m'est difficile de le quitter !

Je claque la portière du camion. Lanouk passe sa tête par la fenêtre et se met à aboyer. Je l'embrasse sur le bout du museau et pars sans me retourner, les yeux pleins de larmes.

Des larmes de joie. Je suis vraiment amoureuse. Je le sens… je le vis… quel bonheur ! Je refuse de partager cette expérience avec quiconque.

Au fond de moi, il y a une petite voix qui me dit que je suis idiote ; que je n'ai jamais été aussi idiote de ma vie.

Je lui réponds que je le sais et que j'aime ça. J'aime Bernard et il m'aime.

CHAPITRE ONZE

Maman fait encore des remarques parce que je suis sortie avec Bernard.

— Mais laisse-la prendre ses propres décisions, s'exclame papa.

Geneviève blague et rit de ce qu'elle dit être de l'innocence chez moi.

Je ne tiens pas compte de leurs remarques désobligeantes. Je les ignore tout simplement.

Dimanche, je veux être seule. Il n'y a qu'une seule solution, partir quelque part, aller me balader. Ma bicyclette a une crevaison depuis bientôt un mois. Je n'avais pas pris le temps de la réparer et, aujourd'hui, alors que j'en ai besoin... En fait, il faut que j'achète un nouveau pneu, mais je suis déterminée à ne rien dépenser avant cet été. Donc, je me mets à l'ouvrage. Encore du rapiéçage.

— Merci, Roland, dis-je essuyant mes mains pleines de graisse et de poussière.

La bicyclette est prête. Quelle chance d'avoir rencontré, un jour, ce Roland. En plus de me donner des conseils sur la mécanique automobile, il m'avait expliqué l'entretien d'une bicyclette. Ça m'avait été drôlement utile jusqu'à aujourd'hui. Je me souviens de ma déception lorsqu'il m'avait annoncé son départ pour la France. Il avait été le seul garçon de mon âge que j'avais fréquenté régulièrement.

Je ris intérieurement en repensant à tout ça et je vais prévenir papa que je pars me balader.

— Oui, oui, murmure-t-il sans lever la tête de son journal.

La plage est déserte, comme je l'espérais. De toute façon, en dehors de l'été, bien peu de gens viennent à la plage. De temps à autre, pendant mes promenades, je croise un promeneur solitaire à la recherche de coquillages ou de je ne sais quoi. Mais si tôt un dimanche matin, c'est le désert.

J'ai apporté une grande serviette pour m'étendre, et aussi mon journal intime. Je me laisse tomber sur le sable et je reste là, assise, sans bouger, sans penser. Mon esprit est aussi vide que la plage peut l'être. Je me laisse bercer par le va-et-vient de l'eau qui glisse sur le rivage. C'est comme si mon esprit était balayé par ces vagues, nettoyé.

Je me rappelle un film. Il y avait une baleine grise. Elle semblait flotter sur l'eau. Peut-être méditait-elle ou encore flottait-elle. Il n'y a pas de baleine par ici, mais je trouve remarquable la facilité avec laquelle elles s'adaptent à leur environnement. Je pense aussi que l'homme a peut-être vécu en harmonie avec la nature, lui aussi, dans les tout premiers temps de la création.

Encore sous le charme de l'eau, je m'étends, bercée par le doux roulement des vagues, les yeux fixant les quelques nuages qui courent dans le bleu du ciel.

Me suis-je endormie? Je sursaute au cri d'un

enfant. Revenir à la réalité. J'ouvre mon journal et je me prépare à y inscrire quelques pensées profondes que m'inspire ce moment de solitude. Quelque chose sur la vie, l'amour. Rien ne vient. Je suis vidée, incapable d'aligner deux mots, de rassembler mes idées. C'est un peu comme quand je suis avec Bernard. Nous sommes si bien ensemble, si près l'un de l'autre, qu'il n'y a pas de mots pour décrire ce que nous ressentons.

Comme dans un rêve, je marche le long du rivage. Je regarde distraitement cailloux et coquillages. Parfois j'en ramasse un pour l'ajouter à ma collection. Je les place tous dans le grand filet de pêcheur qui est suspendu au mur de ma chambre. Ah! la journée où maman m'avait vue revenir avec ce filet qui dégageait une odeur de poisson et d'humidité. Quelle colère! Pourtant, j'étais emballée par cette trouvaille; même l'odeur me plaisait.

Depuis peu, un rêve que je cachais au plus profond de moi avait fait surface avec l'arrivée de Bernard dans ma vie. Je me remémore nos rencontres, nos promenades sur cette plage, Lanouk, Polka.Le rire clair de Bernard résonne dans mes oreilles. Je nous revois tous les deux sur Polka, lui, éclatant de rire.

L'image est si réelle à ma mémoire que je me retourne et le cherche. Juste voir son merveilleux sourire, ses yeux noirs, Lanouk qui saute de joie en m'apercevant... Deux oies crient et se disputent un poisson. Pas de Bernard. Pas de Lanouk. Pas de Polka. Mais ils existent dans un petit coin de mon coeur et y resteront toujours. Tant de souvenirs... et la plage.

Je ne veux pas rentrer chez moi. Quitter ce monde de rêve et retomber à pieds joints dans la dure réalité. J'ai du travail à faire pour l'école, je n'ai pas le choix.

Toute la semaine se déroule comme dans un nuage. Je suis à peine consciente de ce que je fais, j'ai l'impression d'agir machinalement. Je discute avec Mathieu. Il doit comprendre que je l'aime beaucoup, mais qu'il y a quelqu'un d'autre, quelqu'un de très spécial pour moi. J'espère ne pas être trop brusque envers lui. Je ne me souviens plus très bien.

Toute la semaine, je me complais dans ce cocon douillet qui m'avait enveloppée le dimanche à la plage. Mais soudain, on me secoue. Le vendredi, au dîner...

CHAPITRE DOUZE

Oh non! J'ai complètement oublié de penser à la demande de maman.

— N'oublie pas, Sophie, que les Gramont viennent souper ce soir. Ne quitte pas la clinique plus tard que dix-huit heures ; tu dois avoir le temps de te doucher pour faire disparaître cette odeur qui te suit après une journée de travail. Je les ai prévenus que nous mangerions vers dix-neuf heures, ce qui me laissera un peu de temps pour m'assurer que tout soit bien prêt. Si tu reviens suffisamment tôt, tu pourras aussi me donner un coup de main, ce ne sera pas de trop.

— Ce soir!

Je me rends compte que je viens de crier ces deux mots.

— Tu vas peut-être me faire croire que tu avais oublié? Eh bien, si tu avais d'autres projets, tu devras les annuler. Johanne m'a dit que Renaud était très excité à l'idée de te revoir.

Elle ne peut pas, il va de soi, avouer que son fils me déteste et qu'il vient uniquement parce qu'elle l'a exigé. Renaud et moi avions peut-être été pris au piège, tous les deux. Peut-être que si nous sortions dehors, nous pourrions nous séparer et faire ce que nous avions envie de faire chacun de notre côté. Il devait sûrement avoir de meilleures perspectives.

Après tout, il avait vécu ici suffisamment longtemps pour s'être fait des amis. Je pourrais toujours aller voir Catherine ou même aller au cinéma si je suis seule. Mais comment expliquer que je rentre seule à la maison à vingt-deux heures? Renaud ne sera probablement pas pressé de rentrer une fois qu'il sera dehors. Si je me souviens bien, sa mère était très stricte et exigeait toujours qu'il lui dise où il allait. Mais à dix-huit ans, elle lui laisse peut-être un peu plus de latitude ; du moins je l'espère pour lui.

Cette sortie me préoccupe toute la journée. Une chance que Bernard n'est pas à la clinique. Il aurait senti que quelque chose n'allait pas.

Je me dépêche de rentrer à la maison et passe un long moment sous la douche pour essayer de me détendre. Je m'apprête ensuite à affronter la soirée.

À ma grande surprise, Renaud est ravi de sortir avec moi. Il a beaucoup grandi depuis la dernière fois que je l'ai vu et il affiche cet air fanfaron et cette assurance que l'argent donne bien souvent aux jeunes de dix-huit ans. Les filles se devaient de lui tomber dans les bras au moindre sourire et sur le siège arrière de sa voiture au moindre signe.

— Comme tu es jolie, Sophie. Si j'avais su…

Il se serre contre moi pour ouvrir la portière de la voiture et je me retrouve sans trop savoir comment, assise sur le siège avant de la Mercedes de son père. Agréable surprise ; ce sont des sièges baquets. Excellente raison pour me tenir loin de lui.

— Alors, où allons-nous?

Il tourne la clé et le moteur se met à ronronner. Il

se tourne vers moi et sourit.

— Au cinéma. C'est ce qu'on avait décidé, non?

— Je suis certain qu'il y a mieux à faire que d'aller voir un film policier bidon. Il n'y a pas de soirée dans l'air?

Je n'en sais rien. Je ne cours pas après ces informations le vendredi à la fin de mes cours. C'est bien le dernier de mes soucis. Par contre, je connais des personnes qui vont à des soirées.

Renaud grimace devant le peu d'informations que je peux lui donner. Il stationne sa voiture devant une cabine téléphonique. Je le vois signaler plusieurs fois. Il est tout sourire quand il revient.

— Bingo! Suzanne Sauvé. Ses parents sont en Europe et le frère de la femme de ménage est tombé subitement malade. La maison est à nous.

Suzanne Sauvé n'est pas une de mes amies. Elle ne doit même pas savoir que j'existe. Ses parents ont de l'argent, des chevaux et en profitent pour ne pas payer leurs comptes à temps. Madame Chevrier en parlait justement l'autre jour.

— Ça vaut bien la peine d'être aussi riches et de faire tant d'histoires pour une misérable facture comme celle-là, disait-elle. Il faut toujours être à leur service et, en plus, ils paient quand bon leur semble.

La maison des Sauvé surplombe le lac. Je me rappelle mes promenades sur la plage. Comme j'aimerais que ce soit Bernard qui m'accompagne et non Renaud. Pourquoi ne pas avoir dit non, tout simplement? Que je ne voulais pas sortir avec lui?

Renaud réunit en lui tout ce qui me déplaît chez un

homme : l'arrogance, la vanité, le type macho. Pour lui, les filles sont des prix que l'on étale. Eh bien moi, je ne suis pas un prix, même s'il m'a fallu un certain temps pour me préparer ce soir. Je l'ai fait uniquement pour faire plaisir à maman.

Exceptionnellement, après avoir lavé mes cheveux, je les ai frisés et retenus de chaque côté par une petite barrette. L'effet est super. Pour une fois, c'est très réussi. Ils retombent souplement sur mes épaules, et quelques mèches un peu plus courtes m'encadrent le visage. Bernard me reconnaîtrait-il? Il ne m'a encore jamais vue porter une robe. J'en ai pourtant quelques-unes que je mets peu souvent. J'ai choisi ma robe paysanne ; sa jupe a été taillée dans le biais et j'aime la sentir flotter autour de moi quand je me déplace.

Suzanne accueille Renaud à bras ouverts et semble vraiment heureuse de le revoir. Elle l'embrasse, le prend par la taille et l'entraîne parmi ses amis. Certains l'ont oublié... ne se rappellent pas... Comment est-ce possible? Et moi je les suis comme une paysanne. J'ai peut-être, sans le savoir, bien choisi ce que je devais mettre. Une robe paysanne pour suivre le prince charmant, espérant lui arracher un peu d'attention.

Des miettes! Voilà ce que je récolte. Renaud s'occupe juste suffisamment de moi pour rester poli. Tout d'abord, il m'abandonne parmi des jeunes que je ne connais pas et avec qui je n'ai rien en commun. Puis, il disparaît soi-disant pour aller chercher des rafraîchissements. J'écoute les gens discuter autour

93

de moi et je me sens étrangère à tout ce monde. Renaud revient enfin, quarante-cinq minutes plus tard avec un verre de punch et quelques croustilles. C'est à croire qu'il a dû faire le punch lui-même.

Après deux danses, il me plante là avec un garçon beaucoup plus petit que moi et qui semble aussi perdu que moi.

— C'est une belle soirée, me dit-il.

Il ne sait pas quoi rajouter. On le sent embarrassé d'avoir à converser avec une fille qu'il ne connaît pas. De toute façon, que fait-il ici? Il a si peu de personnalité, il est tellement éteint qu'il doit passer inaperçu où qu'il aille. Je ne me souviens même pas l'avoir déjà vu à l'école.

Je lui demande comment il s'est laissé entraîner dans une telle soirée. C'est toujours un peu plus intéressant que de lui répondre tout bêtement, «Oui, belle soirée», et de couper court à toute conversation. Je suis ravie du résultat. Il se détend et semble plus à l'aise.

Derrière ses lunettes à monture dorée, ses yeux me sourient.

— Il me semblait aussi que tu étais différente des autres. Aimerais-tu un autre verre de punch ; nous pourrons discuter de la meilleure façon de nous sortir de ce piège.

Il s'appelle Alexandre Fournier. Je ne connais encore personne qui porte ce prénom. Il a un merveilleux sens de l'humour et me fait penser à Woody Allen.

— Marguerite Martin cherchait désespérément

quelqu'un qui veuille bien l'accompagner, dit-il en me tendant une assiette de croustilles. J'ai cru qu'il serait intéressant de venir voir comment les gens vivent et s'aiment. Et puis, elle me plaît bien !

Il me montre un couple enlacé sur la piste de danse.

J'éclate de rire. Il me fait penser à Suzie, ce chien tellement triste que j'avais vu à la clinique le tout premier jour où j'avais commencé mon travail. Mais une chance qu'il n'est pas effrayé... il est tout simplement comique.

— Maman a insisté pour que j'accompagne le fils d'une de ses amies, dis-je en faisant la moue. Il a dû trouver quelqu'un de plus intéressant que moi ; je ne l'ai pas vu de toute la soirée.

— C'est peu probable. Ce n'est pas toi qui veux devenir vétérinaire? J'ai compati avec Mathieu, cette semaine. il était tellement triste de ne pouvoir sortir avec toi. Lui et son setter en avaient le coeur brisé.

— Il trouvera bien un autre vétérinaire. De plus, il n'est pas recommandé de pratiquer sans license.

J'aime bien Alexandre. Il est très drôle. Nous discutons depuis trente minutes chats siamois et poissons tropicaux quand Marguerite fait son apparition, l'air exacerbée.

— Tu me négliges complètement, Alexandre, s'exclame-t-elle. Tu peux m'inviter à danser?

Elle reste là, toute droite, sans bouger.

— Oh, pardonne-moi, s'empresse de dire Alexandre.

Il me jette un coup d'oeil par-dessus ses lunettes et

dépose son verre sur la table juste à côté.

Je lui souris et lui fais un signe qui exprime toute ma sympathie. J'aimerais bien le revoir.

La soirée se déroule lentement. L'air est rempli de fumée de cigarette. Des rires fusent un peu de partout. Je passe d'un groupe à l'autre.

Renaud a vraiment disparu de la circulation. Je suis tellement en colère que je marcherais jusqu'à la maison. Mais c'est beaucoup trop loin et la nuit est vraiment noire. J'ai envie de chercher Alexandre parmi tous ces gens et de lui demander de me raccompagner ; il n'oserait probablement pas abandonner Marguerite.

Je me glisse dehors et m'assois sur le balcon. L'air est frais. Je prends quelques respirations profondes et me laisse aller à mes pensées.

Un léger bruit me rappelle qu'il y a des stalles. Je me dirige vers le bruit. Bientôt, je reconnais l'odeur de la paille. Douce odeur tellement meilleure que cette odeur de fumée dans la maison. La porte n'étant pas fermée à clé, je me glisse à l'intérieur. Un rayon de lune me permet de voir qu'il y a quatre stalles. Au fond, ce doit être la pièce où l'on range les selles et tout le matériel d'équitation et d'entretien des chevaux.

Les chevaux sentent ma présence. Ils se mettent à s'ébrouer et à hennir. Dans la deuxième stalle, une jument donne des coups de sabot dans la porte. Je ris et je vais la voir, lui disant qu'elle est vraiment merveilleuse. Même si je ne la vois pas bien, je le sais. Les parents de Suzanne n'ont que ce qu'il y a de mieux comme sauteurs et comme chasseurs.

Posant ma tête contre son encolure, je jette mes bras autour de son cou. Elle mordille doucement ma manche. Imprégnée par cette odeur d'écurie, de cheval, de paille, je fais le vide complet. J'oublie tout de cette soirée si peu intéressante. Par contre, les trois autres chevaux réagissent bruyamment. Je ne me suis pas occupée d'eux. Ils exigent un peu d'attention, eux aussi.

Je suis contente. Un par un, je vais les voir. La quatrième stalle est juste à côté de la sellerie. La porte de la pièce est fermée, mais des sons arrivent à mon oreille. Ce sont des voix.

—Raccompagne cette fille chez elle et reviens. Tu passeras une meilleure soirée avec moi.

Je n'entends pas la réponse, mais il n'est pas difficile de reconnaître la voix de Renaud. Pas besoin de beaucoup d'imagination pour interpréter le long silence qui s'ensuit.

Je me sens rougir. Je suis enragée. Je me dépêche de sortir en faisant attention de ne pas faire de bruit. J'arrive enfin dehors, le souffle coupé, toussant de colère et d'humiliation. Je ne veux pas retourner dans la maison. Je m'effondre sur la balançoire et prends de grandes bouffées d'air frais, essayant de contrôler mes émotions.

Quand Renaud se décide à réapparaître, je frissonne, mais je peux parler normalement.

— Je crois que je suis mieux de rentrer, Renaud.

— Oh, Sophie, ma chérie, je te cherchais. Je ne t'ai pas vue à l'intérieur ; j'ai donc pensé…

— Partons, Renaud.

Je ne veux rien entendre.

Aucun de nous n'allons remercier notre hôte. Je n'ai nulle envie de sourire et de jouer la comédie. De toute façon, Renaud la remerciera plus tard.

Nous ne parlons pas sur le chemin du retour. À ma grande surprise, avant que j'aie eu le temps de m'en rendre compte, Renaud s'est précipité pour m'ouvrir la portière avant que je ne sorte. Il fait nuit. En arrivant près de la porte d'entrée, Renaud m'agrippe par le bras, me tourne vers lui et m'embrasse furieusement. Je veux protester, mais il est fort et déterminé.

Je veux le frapper, mais il m'en empêche.

— Sophie…

— Lâche-moi, Renaud. Laisse-moi partir. Garde tes efforts pour le reste de la soirée. Elle l'appréciera beaucoup mieux que moi, j'en suis certaine.

— Comment… Je suis désolé, Sophie. Je voulais bien sortir avec toi, mais…

Il avait au moins la décence de s'excuser.

— C'est bien comme ça, Renaud. C'est la même chose de mon côté.

Pour toute réponse, il tourne les talons, monte dans sa voiture et redémarre en trombe.

Aucune lumière n'est allumée dans la maison. Grand merci ! Je n'aurai personne pour me presser de questions.

Des larmes de colère coulent sur mes joues. Je me précipite dans ma chambre.

CHAPITRE TREIZE

Quelque chose en moi s'est brisé. J'ai un mouvement de recul en pensant à Bernard ; ce n'est peut-être qu'un mauvais moment à passer. De toute façon, il est évident qu'un changement s'est produit en moi, j'en suis certaine. Toute la semaine, Bernard est gentil avec moi, mais je le sens beaucoup plus sérieux et absorbé par son travail. Plusieurs fois, je le surprends à me regarder d'un air interrogateur. Je ne sais pas ce qui ne va pas à son sujet, mais je n'ai pas envie d'aborder le sujet. Le mardi soir, je refuse son invitation à souper. J'invente une excuse quelconque et rentre bien vite à la maison.

Jeudi, alors que je m'apprête à sortir avec un petit terrier écossais, il me saisit le bras.

— Sophie, le docteur Victorin doit faire une chirurgie samedi matin. Je lui ai demandé si tu pouvais y assister. Tu veux bien?

— Oh, oui. J'aimerais vraiment ça.

— Aimerais-tu aussi souper avec moi le soir? Je t'invite dans un grand restaurant, pas sur la plage comme les autres fois.

Il blague tout en me dévisageant. Peut-être essaie-t-il de retrouver la personne qu'il avait connue une semaine plus tôt. Je me sens de meilleure humeur.

— Ça me plairait beaucoup, Bernard. Merci.

— Bien. Je vais attendre avec impatience.

— Moi aussi, je vais attendre avec impatience.

Mon amour pour Bernard prend le dessus et je n'aspire qu'à passer le plus de temps possible avec lui, qu'à lui expliquer pourquoi j'avais eu si peur cette semaine.

Après une dure journée d'école et une soirée seule à la maison, samedi arrive enfin. La veille, Catherine était sortie avec un ami. J'avais été contente de me retrouver seule et de ne pas être obligée, une fois de plus, de lui expliquer ce qu'on ressent lorsqu'on est amoureux. De toute façon, je devais royalement l'embêter avec toutes les réflexions que je lui avais faites cette semaine après avoir terminé ma phase d'émerveillement.

Dans la vie, il y a des expériences que l'on ne peut partager même avec les gens qui sont très près de soi. Être en amour en est une, et je préfère être seule en pensant à Bernard que d'en bavarder avec Catherine. Plus rien ne semble avoir d'importance pour moi sauf mon travail et Bernard. Je fais tout ce que je peux pour avoir des bonnes notes et être acceptée en médecine vétérinaire.

Bernard m'écrira-t-il lorsque je serai loin? Viendra-t-il me visiter? M'invitera-t-il à sortir lorsque je reviendrai à la maison pour les vacances? Je devrai m'éloigner, je n'ai pas le choix ; les cours de médecine vétérinaire ne se donnent pas dans la région. Il tombera peut-être amoureux de quelqu'un d'autre pendant que je serai loin. Tant d'années ! Il m'arrive parfois de repenser à tout ça. C'est tellement long! Si je suis un cours de technicienne, ce sera beaucoup moins long ou je pourrais devenir infirmière... Est-ce que c'est vraiment ce que je veux?

J'essaie de me convaincre de ne pas regarder trop loin. Profiter d'aujourd'hui, de demain. Assister aux chirurgies, me promener sur la plage, monter Polka, un vrai dîner aux chandelles avec Bernard.

Assister à une chirurgie m'en apprend beaucoup plus que n'importe quel cours. Je me sens un peu ridicule lorsque je revêts la blouse verte et le masque des chirurgiens, mais le docteur Victorin, puisqu'il a bien voulu accepter ma présence dans la salle, me traite comme son égale, bien que je sois une étudiante. Il a peut-être oublié que je suis une femme qui tente de s'introduire dans un monde d'hommes.

J'espère ne pas être malade. Ce serait trop embarrassant pour Bernard et pour moi. La vue du sang ne m'a jamais vraiment affectée. Mais aujourd'hui, quelle va être ma réaction? La toute première incision est ce qu'il y a de plus difficile à supporter. La poitrine du chien a été rasée et nettoyée. Puis un champ opératoire recouvre l'animal, ne laissant que la partie exposée à la chirurgie. Avec rapidité et assurance, le docteur Victorin fait une longue incision. Bernard l'aide immédiatement à contrôler et à enrayer tout saignement. Je me laisse prendre par ce monde qu'est la chirurgie et j'oublie bien vite mon envie de vomir.

— Vous remarquerez que le cancer semble localisé dans cette région.

Il nous montre une excroissance blanchâtre qui a envahi la surface rosée du poumon du chien.

— D'après sa localisation, nous devrions pouvoir l'éliminer entièrement sans trop de peine. Les chances de survie de Boule seront meilleures.

Je suis soulagée de constater que le docteur Victorin considère Boule comme un être vivant et aussi que mon estomac a fini de remuer en tout sens. J'avais bien disséqué des grenouilles et même un chat en classe de biologie, mais dans les deux cas, les animaux étaient morts. Celui qui est devant nous est un animal vivant. Il respire. Le docteur Victorin m'explique comment toutes les machines et les tubes servent à le maintenir en vie.

Fascinant.

Je regarde Bernard. Il ajuste les appareils. Nos regards se croisent. Je vois dans ses yeux le sourire que son masque cache. Il est content de m'avoir dans son monde. Je pense qu'une personne qui nous aime sincèrement veut que nous ayons ce qu'il y a de mieux, et espère pour nous ce qu'elle aimerait pour elle-même. Bernard m'encourage fortement à faire ce qui peut me rendre heureuse, ce qui me convient. Je l'aime surtout pour cette confiance qu'il a en moi et pour son soutien.

Le docteur Victorin quitte la salle de chirurgie dès qu'il a fini d'enlever la tumeur. Bernard ferme l'incision avec des petits points serrés. Ses longues mains fines me fascinent. Je le regarde travailler avec admiration. Pourquoi n'ai-je pas pris au sérieux mes cours d'art ménager? Je ne suis pas intéressée à coudre mes vêtements, mais être capable de coudre peut toujours être utile, comme je peux si bien le remarquer.

Une bouffée d'émotion m'envahit à l'idée que je puisse, un jour, sauver la vie d'un animal et prolonger les moments de joie qu'il donne à son maître. Il y a des gens qui pensent que c'est un luxe d'avoir un animal. Surtout lorsqu'ils comparent les sommes d'argent dépensées en nourriture et en soins alors que dans certains pays, l'on meurt de faim. Mais quand je songe à toutes les joies que le chien et les deux chats de mon grand-père lui ont procurées depuis le décès de grand-mère, je pense que c'est tout simplement merveilleux.

Le vieux caniche allongé sur la table de chirurgie appartient à une dame âgée. Il est son seul compagnon. Boule vivrait et lui procurerait encore bien des joies.

Seule, je nettoie la salle de chirurgie. Bernard a beaucoup de rendez-vous, ce matin. J'enlève les instruments stérilisés de l'autoclave et je les range. Puis, après avoir nettoyé tous les instruments ayant servi à la chirurgie, je les place à leur tour dans l'autoclave. Chacun de mes gestes a une signification et j'en suis d'autant plus consciente depuis que j'ai assisté à la chirurgie. Tout devient encore plus important. Les tâches de routine me donnent le temps de me remémorer ce que j'ai vu et ressenti pendant l'intervention. Ensuite, je pense à la merveilleuse soirée qui s'annonce. Une douce impatience m'envahit. Ma vie est vraiment fantastique. Rien ne pourrait la rendre meilleure.

— Je passe te prendre à dix-huit heures, me dit Bernard en quittant la clinique. Je dois encore nettoyer la salle de consultation et la salle d'attente.

— N'oublie pas, nous allons dans un restaurant chic. Tu peux te mettre sur ton trente-et-un si tu le veux.

— Je parie que tu penses que je n'ai pas de robes. N'est-ce pas?

— Prouve-le, me dit-il comme s'il me lançait un défi.

— Tu verras. Les illusions ne font pas partie de mon répertoire, mais l'expérience de ce matin m'a redonné de l'énergie et de la confiance en moi.

CHAPITRE QUATORZE

Je me demande ce que maman va dire si je lui demande une nouvelle robe. J'aimerais bien le savoir, mais je n'arrive pas avant quinze heures à la maison. Je regarde ma garde-robe qui a déjà été satisfaisante. Mais aujourd'hui, je ne vois rien qui soit susceptible d'éblouir un homme qui connaît une aussi belle femme que Louise.

Je choisis ce qui me semble être encore à la mode et digne d'une sortie dans un grand restaurant. Ma robe lilas me plaît assez avec ses lacets, sa jupe ample et ses manches légèrement bouffantes. Je frise mes cheveux et les fixe avec des barrettes sur les côtés. L'important ce soir, c'est d'être séduisante.

Dans le dernier tiroir de ma commode, il y a un ensemble de maquillage que Geneviève m'avait offert à mon anniversaire. Je ne l'ai encore jamais utilisé, ni même ouvert. J'épaissis mes cils avec du mascara et mets un soupçon de rouge à lèvres.

Est-ce que je parais plus âgée? Je le crois. Mais quelle importance cela peut-il bien avoir? Mon âge n'est pas non plus affiché sur mon front et encore moins sur ma robe.

Tous mes doutes s'effacent lorsque je descends l'escalier. Papa me regarde et émet un sifflement admiratif. Geneviève vient juste d'arriver.

— Tu as enfin utilisé ta trousse de maquillage. Bravo! Comment va ce vieil homme avec qui tu sors?

Geneviève sourit.

À mon grand désarroi je sens mes joues qui brûlent. Je sais que je rougis.

— Je n'aurais pas dû te demander cela, murmure Geneviève devant ma réaction. Ce n'était pas nécessaire.

Elle prend ma main dans les siennes et la serre. Je ressens envers elle des sentiments que je n'ai jamais ressentis auparavant. Je ne l'avais jamais beaucoup aimée jusqu'à aujourd'hui et je ne m'étais jamais sentie très près d'elle. Mais tout laisse croire que la situation peut encore changer.

— Tu grandis, Sophie, dit maman. Je pense que je n'ai pas d'autre choix que d'accepter la situation telle qu'elle est. Mais j'espère que tu ne vas pas te précipiter. Prends tout ton temps. Sois raisonnable.

— Ça fait dix-sept ans que je suis raisonnable, maman. Je ne pense pas changer en une soirée. Maintenant, me feriez-vous le plaisir de ne pas tous vous tenir là, dans l'entrée, à l'attendre? Bernard sera gêné avec un aussi grand comité d'accueil.

Maman et Geneviève disparaissent dans la cuisine. À papa les honneurs! Je me sens soulagée. Bernard n'est pas encore vraiment à l'aise avec maman.

Nous roulons jusqu'à un restaurant, *Le Rendez-vous*, qui a une vue splendide sur la mer. Les lumières sont tamisées, l'ambiance romantique. La plupart des tables sont isolées ; lieu idéal pour un repas d'amoureux. Notre table est juste devant une fenêtre. En face de nous, les vagues déferlent sur le rivage ou se brisent contre les rochers. C'est mon paysage préféré et le préféré de Bernard, aussi. Même lorsqu'il fait nuit, il nous est facile de nous imaginer ce tableau. Il semble gravé en nous à tout jamais.

Je ne suis pas habituée à boire du vin. Bernard demande un mousseux pour trinquer à notre rencontre. Au menu, des escalopes de veau garnies. Ça me semble excellent. Bernard, lui, préfère de la viande rouge… Un filet mignon avec pommes de terre sautées et salade du jardin. Nous avons tant de choses à nous dire et Bernard est tellement beau et élégant, ce soir, que je n'arrive pas à détacher mes yeux de lui.

Un sabayon délicieux termine le repas.

— J'aurais dû te donner la chance de porter une robe bien avant aujourd'hui, me dit gentiment Bernard en buvant son café. Tu es très belle.

Ses yeux me l'avaient dit pendant tout le repas, mais c'est tellement plus agréable de se le faire dire de vive voix.

— Fais attention, si tu continues, je vais changer de métier et devenir mannequin à New York, blagué-je.

— Ne t'avise surtout pas de faire ça.

Il redevient sérieux.

— J'ai de la difficulté à m'imaginer un seul instant où nous ne serions pas ensemble, Sophie. J'ai l'impression de t'avoir toujours connue.

— Si j'avais rêvé d'un prince charmant transformé

en crapaud, il aurait eu ton visage, Bernard.

— Tu devais avoir une idée de l'apparence qu'aurait le garçon dont tu tomberais amoureuse; il ne devait pas vraiment me ressembler. Il fait semblant d'être attristé par cette idée.

— Je n'avais jamais pensé être amoureuse de quelqu'un. J'étais uniquement préoccupée par mon idée de devenir vétérinaire. Je n'ai pas connu beaucoup d'autres garçons, Bernard. Je crois que tu le sais.

— Pendant toute la semaine, j'ai eu peur qu'il n'y ait autre chose. Une autre personne, quelqu'un de ton âge. Quelqu'un de suffisamment riche pour avoir une Mercedes et t'inviter à une soirée.

Je dois avoir l'air terriblement surprise.

— Je ne t'épiais pas, Sophie. Je revenais d'un souper, vendredi soir, et je vous ai croisés. Et tu as été si différente cette semaine, tu m'as à peine adressé la parole. Si tu en as assez de moi ou si tu préfères sortir avec un garçon de ton âge, je le comprends. En fait, ce serait mieux pour toi. Mais dis-le-moi ; ne me laisse pas dans le doute.

Je me penche et pose ma main sur la sienne.

— Oh, Bernard. Maman m'a demandé de lui faire une faveur et d'accompagner le fils d'une de ses amies. Renaud a dix-huit ans et maman pensait qu'il serait plus convenable que je sorte avec lui qu'avec toi.

— Et elle avait raison?

— Pas du tout.

Je lui raconte le déroulement de la soirée. Avant

que je n'aie terminé mon récit, Bernard et moi rions aux larmes.

— Dix-huit ans, c'est un âge très difficile pour les garçons, Sophie. Je m'en souviens parfaitement.

— Je suis certaine que tu n'as jamais ressemblé à Renaud, peu importe l'âge, Bernard.

— Il est vrai que nous n'avions pas beaucoup de temps pour faire les fous, à la ferme. Parfois, nous faisions des courses à cheval… mais j'ai bien peur de ne jamais posséder de Mercedes.

— Tu en veux une?

— Non, répond-il sans aucune hésitation. Tout ce que je veux dans la vie, c'est mon travail, mon vieux camion et toi, Sophie. Mais je ne veux pas t'obliger à prendre une décision contre ton gré. Je ne veux pas non plus que notre relation aille plus loin si tu ne te sens pas prête pour cela. J'ai beaucoup trop de respect pour toi, Sophie.

Je suis consciente de ce respect que Bernard a à mon égard. C'est une des raisons pour lesquelles je l'aime. Me bagarrer avec un garçon dans une belle auto n'est pas un sport qui me plaît particulièrement. Isolés des autres, dans notre petit coin surplombant l'océan, Bernard se penche vers moi et effleure légèrement mes lèvres. Il m'embrasse ensuite la paume des mains et me regarde.

— Puisque je ne suis pas certain de vouloir continuer à t'embrasser ainsi en public, pouvons-nous partir si tu as terminé?

Dehors, dans l'ombre du mur qui nous sépare de la plage, Bernard m'embrasse intensément, puis, pendant un long moment, nous restons là, serrés l'un contre l'autre. Finalement, j'enlève mes souliers et, main dans la main, nous marchons vers la plage jusqu'à ce que nous arrivions à une promenade en planches qui mène à un embarcadère de bateaux de pêche. Il y a une foire.

— Ma petite amie aimerait-elle un ballon? me demande Bernard.

Je m'appuie contre lui pour remettre mes souliers.

— Oh, oui. Lilas, pour aller avec ma robe.

Bernard noue le ballon gonflé à l'hélium à mon poignet et nous courons regardant le ballon nous suivre comme un cerf-volant. Je m'arrête pour reprendre mon souffle. La musique d'un orgue remplit la nuit. Le côté d'un énorme édifice donne sur la promenade et un vieux carrousel de chevaux de bois tourne encore et encore au rythme de la musique.

Bernard me regarde et je l'approuve. Il va acheter des billets pendant que je contemple, émerveillée comme un tout jeune enfant, le manège qui s'arrête. Je choisis un cheval noir avec des rênes argent tandis que Bernard monte un cheval blanc à la selle bleue.

— Mon doux chevalier et son cheval blanc, dis-je en éclatant de rire. Lentement, nous commençons à tourner. D'une main, je me tiens au pommeau de ma selle et de l'autre main, je m'agrippe au bras de Bernard.

Je regarde son visage d'enfant rieur. Comme je l'aime ; il est mon seul amour, mon vrai amour. Je le sais et j'en suis heureuse. Il est à la fois jeune, bien

que plus âgé que moi. C'est l'homme de ma vie, j'en
suis certaine. Je l'aime de tout mon coeur.

CHAPITRE QUINZE

Les semaines qui suivent passent à une allure incroyable. Il fait un temps spécialement chaud pour un mois d'avril. Un printemps qui s'annonce rempli de joies, un printemps comme je n'en ai encore jamais vécu. Je suis tellement heureuse que ça se remarque au premier coup d'oeil... dans ma façon d'être, d'agir. Les gens que je croise sur la rue ou à l'école, dans les corridors, me sourient spontanément. Mes professeurs ne tarissent pas d'éloges en me remettant mes travaux et mes notes.

— Très bon travail, Sophie.

Mes notes augmentent. C'est comme si ma vie tout entière avait été placée à un niveau supérieur et, d'une certaine façon, déteignait sur les gens de mon entourage.

— Je n'avais jamais remarqué à quel point tu es jolie, Sophie, me dit un midi ma meilleure amie, Catherine.

Je rougis, mais je lui suis reconnaissante de me l'avoir dit.

— Je me suis trompée au sujet de Bernard, continue-t-elle. Il semble être l'homme qu'il te faut. J'espère que j'en trouverai un moi aussi, un de ces jours.

Même maman est plus détendue. Elle me donne un

peu d'argent pour m'acheter de nouveaux vêtements. J'économise presque tout ce que je gagne. Dans son élan de générosité, maman m'offre aussi une nouvelle robe pour mon bal des finissants. Geneviève m'accompagne au magasin et je dois admettre qu'elle a bien meilleur goût que moi dans le choix des vêtements.

Nous choisissons une robe d'un rose tendre, dans un tissu si doux qu'il aurait pu être fabriqué directement à partir de la chrysalide d'un ver à soie. La ligne est toute simple et rappelle un style grec.

— Tu as trop de classe pour porter des dentelles, Sophie, me dit ma soeur.

Elle se recule un peu pour mieux me voir.

— Je ne crois pas que j'aurai le courage de porter cette robe.

J'aime bien qu'elle me conseille sur le style de robe que je dois porter, mais en me regardant dans le miroir, j'ai l'impression d'être en face d'une étrangère. Je ne me reconnais pas. Mon épaule gauche est dénudée et je n'ai jamais rien porté d'aussi court si ce n'est mon maillot de bain.

— Bien sûr que tu l'auras, s'esclaffe Geneviève. Tu es tout simplement merveilleuse. Peut-être légèrement plus musclée que les autres filles.

Elle me donne une petite tape sur le bras et je fais semblant de me dégager un peu brusquement.

Nous achetons finalement la robe et décidons d'aller manger une crème glacée. Je me laisse tomber sur ma chaise. Geneviève ne demande qu'une boisson diététique. Moi, j'ai envie d'une crème glacée au chocolat.

— Tu n'es pas excitée d'avoir enfin terminé ton secondaire, Sophie?

— Je le crois. Je n'y ai pas encore vraiment pensé. Ce sera sûrement merveilleux d'aller au cégep l'an prochain.

— Vas-tu réellement faire tes études en médecine vétérinaire?

— Bien sûr. C'est mon rêve de toujours.

Je lèche ma cuillère en pensant que je ne dois pas oublier de me répéter sans cesse ce que je viens de répondre à Geneviève.

— Et au sujet de Bernard?

— Je ne sais pas, Geneviève. Je ne veux pas y penser. Je suppose qu'il viendra me voir et que j'irai le voir pendant mes vacances… Je ne sais pas.

— Moi, je serais incapable de vivre comme ça, Sophie. J'espère que toi, tu le pourras.

Geneviève fait tourner ses glaçons dans son verre.

— Si je trouve l'homme de mes rêves, poursuit-elle, je le suivrai sur la Lune, s'il le faut et si c'est là qu'il veut aller.

— Je dois terminer mes études, Geneviève ; c'est le rêve de toute ma vie.

À mon grand soulagement, Geneviève change de sujet. Elle me parle de son nouvel ami. Je suis heureuse de ne plus avoir à penser à l'avenir. Le bal des finissants et Bernard qui doit m'y accompagner me permettent de rêver suffisamment. Je serre contre moi la boîte contenant ma robe et essaie de m'imaginer Bernard en smoking.

En me voyant dans ma robe, le soir du bal des finissants, je frissonne. Je n'ai jamais participé aux soirées dansantes de l'école. Mon estomac tressaute d'anxiété. Bernard regrettera-t-il de m'avoir accompagnée? Se sentira-t-il à l'aise à ce bal? Je me frictionne les bras en faisant les cent pas, songeuse, inquiète. Bernard devrait savoir quoi faire à un bal de finissants. Il n'est pas si vieux !

— Sophie ! Enlève cette vieille chemise de flanelle tout de suite, s'exclame Geneviève en entrant dans ma chambre. Tu es beaucoup trop nerveuse. Je peux te prêter mon châle blanc si tu le veux. Garde cette chemise le temps que je te coiffe.

Geneviève relève mon épaisse chevelure. Seule une boucle descend sur mon épaule. Tout est calculé pour s'harmoniser avec la robe. Par contre, je refuse de porter des bijoux.

— Je dois garder un peu de moi-même, Geneviève, sinon, Bernard ne me reconnaîtra pas.

Juste un peu de mascara et de rouge à lèvres. Geneviève est de mon avis.

La sonnerie de la porte d'entrée retentit.

— C'est lui, Sophie. J'espère que tu vas avoir une soirée fantastique. Ne reviens pas avant l'aube, je vais tout arranger avec maman.

Geneviève m'embrasse sur le front. Je lui serre la main bien fort. Si j'avais su m'attarder à sa vraie personne au lieu de me fier aux apparences extérieures seulement, nous aurions peut-être pu être plus proches l'une de l'autre.

J'enlève ma chemise, respire plusieurs fois à pleins

poumons et descends lentement l'escalier en me tenant à la rampe. Bernard discute dans la cuisine avec mes parents.

— Oh, là là! Saviez-vous que vous aviez une déesse grecque, comme fille, monsieur Delage?

— Pas jusqu'à maintenant, répond papa. La dernière fois que je l'ai vue, elle soignait les animaux malades.

— Moi, la dernière fois que je l'ai vue, elle avait une vadrouille dans les mains.

Bernard me tend une orchidée.

— Amusez-vous bien, les enfants, s'exclame papa.

Maman m'embrasse. Elle est trop émue pour parler.

Pour l'occasion, Bernard a emprunté la Subaru d'un de ses amis.

— Tu as été placé à mon niveau, celui d'un enfant, dis-je pendant que nous roulons.

— Ça me fait du bien. Je devenais un peu vieux jeu.

Nous éclatons de rire sachant très bien qu'en arrière de nos «déguisements», il y avait tout simplement Bernard et Sophie. Je dois admettre que Bernard porte très bien le smoking et je suis très contente qu'il m'accompagne.

Dès le début, la danse est un vrai désastre. À notre arrivée, Catherine et son ami, nul autre que Mathieu, à ma grande surprise, se sont rués sur nous pour nous accueillir. Catherine ne sait visiblement pas quoi dire et est secouée d'un petit rire nerveux. Je regarde

Mathieu serrer la main de Bernard et ne peux m'empêcher d'accuser la différence d'âge. Mathieu a l'air d'un adolescent de quinze ans avec sa tignasse rousse et ses taches de rousseur.

Je suis peut-être hautaine, mais je n'y peux rien. Je trouve la musique trop forte et trop rapide. Les décorations répondent au thème du paysage sous-marin. Beaucoup trop clinquant et trompeur. Bernard admet qu'il ne sait pas très bien danser. Nous restons donc assis à une table et regardons les danseurs tournoyer sans fin. Mathieu m'invite à danser. Je laisse à Bernard la lourde tâche de s'occuper de Catherine.

Un peu plus tard, je présente Bernard à mon professeur de sciences. Il s'ensuit une longue conversation sur l'utilité des animaux de laboratoires et des recherches qui sont en cours présentement. Je suis incapable de me détendre et de participer à la conversation. Par contre, je me rends compte que Bernard est beaucoup plus à l'aise avec mon professeur qu'il ne l'a été avec Catherine et Mathieu. Pendant tout ce temps, je suis coincée avec sa femme, ne sachant que dire.

Je danse gauchement un slow avec Bernard. Soudain, il remarque mon air morose.

— Qu'est-ce qui ne va pas, Sophie? Tu ne t'amuses pas?

Ma voix tremble. Il faut que je me contrôle.

— Ça ne t'embêterait pas trop de partir, Bernard?

Dans la voiture, je me mets à sangloter. Bernard me prend dans ses bras malgré les sièges baquets.

— Qu'y a-t-il, Sophie? Je voulais que tu passes une

agréable soirée. J'aurais dû te prévenir que je ne suis pas un très bon danseur. Je suis navré.

— Non, Bernard, dis-je en sanglotant. Tu n'y es pour rien. J'aurais dû savoir que tu n'allais pas dans le décor. Et je ne pouvais pas m'empêcher d'en être gênée.

— J'ai peut-être parlé un peu trop longtemps avec ton professeur? Je me suis laissé emporter par le sujet. C'est ma bête noire. Je t'ai laissée discuter avec sa femme. J'ai tout fait de travers.

— Oh, s'il te plaît, Bernard, ne te sens pas mal à l'aise. Tu n'as pas à te croire coupable. Si j'avais été capable de me détendre et de ne pas m'en faire avec ce que les autres pouvaient bien penser… Penser juste à nous, m'amuser. Mais je n'ai pas pu. C'est… eh bien… pourquoi tout est tellement merveilleux quand nous sommes ensemble et se gâche dès que l'on essaie d'être avec d'autres personnes? L'autre soir, je me suis retrouvée incapable de dire quoi que ce soit devant tes amis. C'était comme si j'avais douze ans et non dix-sept. Je suis certaine qu'ils se demandent tous ce que tu peux bien faire avec une enfant comme moi. Et mes amis sont comme des poupées déguisées à côté de toi. Catherine ne savait pas quoi te dire et Mathieu n'a pas cessé de me faire des remarques désobligeantes parce que je sortais avec «un autre docteur». C'est une blague entre nous; il dit toujours que je suis la vétérinaire de son chien. Tout est tellement compliqué!

— Je le sais, Sophie. C'est peut-être en partie de notre faute. Je m'inquiète de ce que tes parents en pensent et en disent. Toi, tu t'inquiètes de ce que tes amis en pensent et en disent. Tout ceci ne les touche probablement pas autant que nous. Et si cela les dérange, il n'y a rien que l'on puisse faire à ce sujet. Ce qui se passe entre nous deux est très spécial. Nous ferions peut-être mieux d'exclure le reste du monde pour le moment et de construire notre monde bien à nous, juste toi et moi.

Il m'embrasse et me serre très fort tout contre lui jusqu'à ce que je sente qu'il n'y a pas d'autre monde que celui de l'amour de Bernard envers moi. Puis, il embrasse les larmes qui coulent sur mes joues, me tend son mouchoir et démarre.

— Voyons un peu si nous pouvons récupérer la soirée. Ce devrait être une soirée toute spéciale pour toi, Sophie. Recommençons à zéro.

— Bernard, si seulement j'étais plus vieille, j'aurais peut-être plus de bon sens.

— Si tu étais plus âgée, tu ne serais pas celle que j'aime. De toute façon, tu aurais sûrement d'autres problèmes. Le seul problème qui me fait peur, c'est la possibilité que tu ne m'aimes plus.

— Je t'aimerai toujours, Bernard. Peu importe ce qui arrive, peu importe si nous sommes loin l'un de l'autre l'an prochain...

Pourquoi suis-je allée dire une telle chose ce soir? Pourquoi y ai-je seulement pensé? Je ne veux pas penser à l'avenir. Pas maintenant, alors que je suis si heureuse.

— Soucions-nous de l'instant présent, Sophie. Qu'est-ce que tu aimerais faire? Nous avons l'air de

deux personnes sur leur trente-et-un qui ne savent pas
où aller.

— J'aimerais qu'on puisse avoir notre propre soirée, notre propre danse.

— Je connais un endroit… hummm…

— Qu'y a-t-il de pas correct?

Je le regarde et essaie de deviner.

— Je me sens comme si j'avais vingt et un ans. Ils
me laisseront peut-être entrer. Et je leur raconterai
que je termine une cure de désintoxication et que je
ne peux pas toucher le moindre alcool.

— S'ils ne veulent pas nous laisser entrer, ça c'est
un problème que je ne peux pas résoudre.

— On peut essayer, si tu le veux. Je comprend que
tu n'as jamais eu à faire face à un problème semblable avant. À moins que ce ne soit une habitude, chez
toi, de sortir avec des filles qui ne sont pas majeures.

— Tu es la seule et l'unique, je le jure.

— D'accord, tu conduis. Je dois me concentrer
pour avoir l'air plus vieille. Et essuyer le mascara de
mes joues, je parie.

Je fouille dans mon sac à main, à la recherche d'un
miroir et commence à réparer les dégâts. On ne doit
pas pleurer quand on se maquille les yeux.

On nous laisse entrer sans difficulté. Vite, nous
nous assoyons à une table et commandons une salade
de crevettes et du café. Il fait très sombre et on y voit
presque rien. mais je n'ai nul besoin de voir où je
pose les pieds pour danser. Il me suffit d'être dans
ses bras. Nous ne devons plus nous en faire pour les
autres. Nous mangeons et discutons jusqu'à la ferme-

ture du club. J'ai même complètement oublié le bal des finissants.

Toute la nuit, nous roulons sans avoir de but précis, et nous parlons de tout et de rien. Au lever du soleil, Bernard stationne la voiture au bord de la plage. Nous nous assoyons sur les rochers et regardons le soleil se lever doucement, tout rose au-dessus de l'océan, perpétuant ainsi une longue tradition qui veut que l'on reste toute la nuit éveillé un soir de bal.

Bernard avait transformé cette soirée si mal commencée en une soirée mémorable. Grâce à lui, je me suis sentie comme une femme qui est aimée, peu importe son âge ou les règles préétablies dictant avec qui l'on doit sortir à telle étape de notre vie. Nous déjeunons dans un petit restaurant à une vingtaine de kilomètres de la ville. Le café est fort et chaud. Je ne ressens pas le besoin de dormir et je veux profiter le plus longtemps possible de cette sortie.

Des pêcheurs nous sourient.

Nous rentrons.

J'appelle maman de la clinique pour la rassurer et la prévenir que nous allons monter à cheval avant de rentrer. Geneviève avait pris ma défense et maman croyait que nous avions passé la nuit avec un groupe d'amis. Elle ne s'est donc pas inquiétée. J'enfile le jean et le T-shirt que je laisse dans la garde-robe de la clinique. Nous allons chercher Lanouk qui est ravie de nous revoir après une longue nuit d'attente. Cette fois-ci, nous retrouvons avec joie le vieux camion et fonçons à toute allure vers les stalles. Bientôt, nous galopons sur le sable craquant du matin.

Des oies tournent dans le ciel et s'éloignent à notre approche. Mon coeur s'élance avec elles.

CHAPITRE SEIZE

Je pleure sans cesse pendant les jours qui suivent. Je ne sais si ce sont mes sentiments profonds qui remontent à la surface depuis que je suis amoureuse. Moi qui étais toujours si calme et si posée, voilà que je me laisse emporter par mes sentiments. Je pleure le plus souvent lorsque je viens de passer une soirée particulièrement agréable en compagnie de Bernard. Catherine me trouve trop sentimentale et ne cesse de blaguer à cet effet. Elle dit qu'elle ne veut pas tomber en amour avant longtemps si elle doit toujours avoir les larmes aux yeux comme moi. J'essaie de lui expliquer que c'est tout simplement ma façon de réagir à l'amour ; d'autres personnes rient tout le temps ou encore se sentent ridicules ; cela dépend de chacun.

Les journées de travail se terminent souvent par un repas léger au restaurant de la plage ou par un pique-nique. Bernard me raccompagne toujours très tôt afin que je puisse préparer mes examens. Les cours se terminent. Nous avons soupé une fois à la maison. Souper raté ! Maman ne se sent pas encore vraiment à l'aise avec Bernard et sa mauvaise humeur est vite devenue contagieuse.

Un jour à la fois, me dis-je souvent, même si la fin des cours me ramène à l'évidence que nous devrons bientôt vivre séparés l'un de l'autre. Je suis acceptée au cégep en sciences pures ; je n'ai que l'embarras du choix. J'aimerais trouver un endroit pas très loin de Bernard et au bord de l'eau aussi. Bernard et moi discutons de chacun des collèges, des programmes qu'ils offrent et de leur réputation, d'une façon très détachée, comme si nous n'étions pas impliqués dans ce choix. Ce doit être, pour nous, le seul moyen de cerner ce problème.

De toute façon, comme je suis acceptée dans plusieurs cégeps, Bernard suggère un pique-nique sur la plage pour célébrer cette bonne nouvelle.

Tout est devenu objet de célébration. Au menu, des homards. Je veux bien, à la condition de ne pas les faire cuire moi-même.

On s'arrête à la poissonnerie. On va vraiment manger ça? Bernard me demande de ne pas m'affoler et de lui laisser prendre les choses en main. Parfait.

Lanouk gambade partout pendant qu'on prépare le feu. Bernard y installe une casserole pleine d'eau. Moi, je tranche des tomates pour la salade. Puis je vais me promener avec Lanouk. Pas question de participer à la cuisson de ces pauvres homards.

Le soleil disparaît à l'horizon et semble glisser dans l'eau. Des reflets orangés et roses zèbrent le ciel. Le sable balayé et durci par les vagues brille. Une mouette s'éloigne en criant. Elle n'aime pas être dérangée.

Il n'y a que le bruit du vent sur l'eau et sur le sable.

Je ne pense plus à l'avenir. Un calme intense

m'envahit et j'ai l'impression que le temps s'arrête un court instant pour Bernard et pour moi. Je cours avec Lanouk.

La nuit est de plus en plus noire. Je bute contre une racine et tombe de tout mon long sur le sable mouillé. Lanouk revient sur ses pas. Je fais semblant de pleurer, la tête enfouie dans mes bras. Délicatement, la chienne pose son museau frais contre mon cou.

Je me retourne et essaie de l'attraper. Mais elle ne se laisse pas avoir si facilement. Vivement, elle fait un bond en arrière et aboie. Je me relève et recommence à courir après elle. Elle est beaucoup trop rapide pour moi. Fatiguées nous arrêtons de jouer et retournons sur nos pas. Lanouk marche si près de moi que son épaisse fourrure soyeuse me chatouille les mollets de temps à autre.

Mes yeux aperçoivent le feu que Bernard a allumé. Une merveilleuse odeur de maïs grillé arrive jusqu'à nous. Je suis affamée. Je ne m'en étais même pas rendu compte. Geneviève prétend que l'amour fait perdre l'appétit, mais moi, je pense que ça m'a plutôt donné faim. Et à Bernard aussi.

— Juste à temps, sinon, j'aurais gardé les meilleurs morceaux. Tu pourras toujours faire la vaisselle puisque tu t'es sauvée au lieu de m'aider.

— J'ai fait la salade. De plus, j'ai tenu compagnie à Lanouk.

— Moi aussi, j'ai besoin de toi, s'exclame Bernard en me serrant dans ses bras et en m'embrassant.

Selon moi, le dîner peut toujours attendre, mais Bernard n'est pas de mon avis.

Il me repousse gentiment.

Le repas est succulent. Il y a bien longtemps que je n'ai rien mangé d'aussi délicat. Comme accompagnements : du maïs, de la salade et du pain à l'ail. Après le repas, nous regardons le feu brûler doucement. Les étoiles brillent dans le ciel comme des étincelles. Main dans la main, nous marchons sur la plage. Puis, fatigués, nous nous allongeons sur une couverture et regardons apparaître les constellations.

Je m'étends entre Lanouk et Bernard. C'est bon de se sentir en sécurité !

Bernard me serre contre lui. Nous n'avons pas besoin de mots. Tout est vraiment merveilleux.

— Bernard. Sophie.

Nous avons parlé en même temps. Quelle curieuse coïncidence. Nous éclatons de rire. Je laisse Bernard parler en premier.

— Sophie, j'ai beaucoup pensé à nous deux... Je... Je sais que...

Lanouk se lève si vite qu'elle nous envoie du sable plein la figure. Je crachote et essuie mes joues et mes lèvres. Une voiture pleine de jeunes arrive à fond de train.

Bernard rappelle sa chienne, mais c'est trop tard, Lanouk est bien déterminée à chasser les intrus. Avant que l'on ait le temps de se mettre debout, l'accident survient.

La chienne est projetée dans les airs et tombe sur le sable avec un bruit sourd. Le conducteur de la voiture fait demi-tour et repart sans prendre la responsabilité de ses actes.

Vite nous courons vers Lanouk. Seul le bruit des vagues qui meurent sur la plage brise le silence.

Bernard s'agenouille près de sa chienne et palpe son corps inerte avec des mains tremblantes. Il n'y a pas suffisamment de lumière pour voir les blessures.

— Vite, Sophie, va chercher la couverture, me dit Bernard après avoir écouté les battements cardiaques de son chien. C'est très grave.

CHAPITRE DIX-SEPT

Je cours aussi vite que je le peux, ramassant la couverture au passage. Dire que quelques instants plus tôt, nous étions si bien que j'aurais aimé arrêter le temps pour toujours.

Bernard enroule rapidement Lanouk dans la couverture de laine et la soulève avec précaution. J'éteins le feu avec du sable et je cours jusqu'au camion. J'installe le chien sur mes genoux. Bernard se glisse derrière le volant. Le vieux camion, habituellement si fiable, cale.

— Misère, tu ne peux pas me faire ça maintenant, s'exclame Bernard.

Patiemment, il tourne la clé de nouveau et le moteur se met à ronfler. Bernard recule un peu, fait demi-tour et se dirige à toute vitesse vers la clinique.

La chienne commence à être lourde. Mon bras est tout engourdi, mais je serre Lanouk contre moi, espérant très fort qu'elle s'en sorte. Il faut qu'elle vive à tout prix. Il faut qu'elle aille mieux.

Bernard s'arrête à l'arrière de la clinique, me tend les clés de la porte et soulève Lanouk. Vite, en salle de chirurgie.

— Il va falloir que tu m'aides, Sophie. Je n'ai pas le temps d'appeler quelqu'un.

Je suis contente d'avoir regardé comment se pré-

pare une chirurgie. Bernard commence immédiatement à raser Lanouk pour essayer de mieux évaluer
les blessures de l'animal. Elle est en état de choc et
il y a des signes évidents d'hémorragie interne.

Il est trop préoccupé pour parler. Je suis très atten-
tive à ce qu'il fait et j'essaie de l'aider de mon mieux.
Tout d'abord, se laver les mains et les avant-bras,
puis les faire tremper dans une solution désinfectante.
S'essuyer soigneusement et enfiler des gants chirur-
gicaux. Ensuite, passer la blouse de chirurgie et revê-
tir le masque. Tout ceci en quelques secondes, bien
sûr ; chaque minute est importante puisque la vie de
Lanouk en dépend.

En regardant le petit corps immobile sur la table de
chirurgie, je revois Lanouk gambadant et aboyant sur
la plage. Je sens son museau froid dans mon cou
après ma chute. Mes yeux se remplissent de larmes.
Je dois me contrôler sinon je serai incapable d'aider
Bernard correctement.

Celui-ci pratique une incision. Quels dégâts !
Impossible de contrôler l'hémorragie. J'aide Bernard
à nettoyer la plaie. Je surveille chacun de ses mou-
vements. Il parle peu ; il se concentre entièrement sur
son amie qui a tant besoin de lui. Mes mains me donnent l'impression de suivre sa pensée. Elles font
automatiquement ce que Bernard demande comme si
j'avais déjà suivi un certain entraînement.

La rate est perforée. Bernard en fait donc le pré-
lèvement, pinçant et cousant les vaisseaux pour arrêter le saignement. Il surveille constamment le rythme
cardiaque et la respiration. Le foie semble être

atteint, lui aussi, et d'autres organes sont écrasés. Je regarde Bernard travailler. C'est dommage que je ne puisse l'aider davantage. Je me sens tellement impuissante! Finalement, Bernard me fait signe qu'il a terminé. Il a fait tout ce qu'il pouvait. Je ne sais pas si elle va survivre, mais Bernard ne peut pas en faire plus. Ça l'aidera sûrement de savoir qu'il a tout essayé.

Quand il termine la chirurgie, il est épuisé. À le voir, je sais qu'il n'a pas beaucoup d'espoir.

— Tu peux rentrer, maintenant, Sophie, si ça ne te fait rien de marcher.

Sa voix est morne, sans vigueur ; son visage, triste et blême. Je sais qu'il ne pense pas à ce qu'il dit ; en temps normal, il ne m'aurait jamais demandé de rentrer seule, chez moi, au milieu de la nuit.

Je le serre dans mes bras. Il est lui aussi en état de choc, froid et sans vie.

— Je veux rester avec toi et Lanouk, Bernard. Ne me demande pas de partir.

— Il y a un divan dans la pièce d'à côté. Essaie de te reposer un peu. Moi, je vais rester avec Lanouk.

Bernard a transporté sa chienne sur la couverture dans son bureau et il s'assoit devant sa table de travail, la tête entre ses mains, découragé. Je fais du café, puis je me glisse dans l'autre pièce. Il veut sûrement être seul.

Je ne peux pas dormir ou du moins je ne crois pas pouvoir dormir. Je dois cependant avoir somnolé parce que je sursaute lorsque Bernard pose sa main sur mon bras.

— Ça ne va pas?

Je m'assois.

Bernard a les yeux pleins d'eau.

— Viens m'aider, Sophie.

Je le suis dans son bureau.

Lanouk est consciente, mais son regard trahit toute sa douleur. Elle essaie de soulever sa tête lorsque je m'assois à côté d'elle, mais elle la laisse retomber sur sa couverture. Elle regarde Bernard. Malgré sa souffrance, on peut lire tout l'amour qu'elle lui porte.

— Je dois la laisser partir, Sophie. Peux-tu m'aider?

Je ne dis rien. Je soulève la patte avant de Lanouk, puis je lui caresse le front en lui parlant doucement pendant que Bernard prépare l'injection. Je remarque que ses mains ne tremblent plus.

Il caresse Lanouk. Ce sont ses derniers instants de vie. Il faut lui dire au revoir, la laisser partir… Après l'injection, Lanouk regarde d'abord son maître, puis me regarde et ferme les yeux. Son corps se détend peu à peu.

Bernard se relève et marche jusqu'à la fenêtre qui surplombe une pinède. Le chant des oiseaux me surprend et, seulement à cet instant, je me rends compte que c'est déjà le matin.

Je me lève à mon tour. Je m'avance près de Bernard et le prend dans mes bras. Soudain, il se laisse aller et éclate en sanglots. Il tremble de tout son corps. Je veux l'aider.

— Je suis tellement malheureuse pour Lanouk ; je l'aimais beaucoup, moi aussi.

131

Le docteur Victorin nous trouve là, au même endroit, l'un contre l'autre. D'un coup d'oeil, il se rend compte de ce qui s'est passé.

— Rentre chez toi, Bernard. Je vais m'occuper de Lanouk.

Bernard respire profondément et revient les pieds sur terre.

— Non, monsieur. Je dois m'en occuper moi-même. Est-ce que je peux l'enterrer dans le jardin, derrière la clinique?

— Bien sûr. Je vais t'aider, si tu le veux.

— Je vais d'abord reconduire Sophie chez elle.

Je refuse, mais Bernard ne veut rien savoir.

— Tes parents doivent être inquiets.

Nous ne disons rien de plus. Bernard recouvre Lanouk de sa couverture et me raccompagne.

J'espère passer inaperçue et aller directement à ma chambre, mais à l'instant même où j'ouvre la porte, maman est devant moi. Elle est très en colère.

— D'où viens-tu, ma fille? J'espère que tu as une bonne explication à me donner pour être restée dehors toute la nuit.

CHAPITRE DIX-HUIT

J'ai le coeur gros avec toutes ces émotions. La nuit a été si longue! Je ne veux voir personne. Maman insiste.

— Tu n'es pas rentrée cette nuit. Tu étais encore avec cet homme, pas vrai? J'ai toléré que tu ne rentres pas à ton bal des finissants parce que tu étais avec tes amis. J'ai voulu te faire confiance ; j'ai voulu lui faire confiance et te respecter, mais je savais que ça arriverait. Je te l'avais bien dit qu'il n'agirait pas comme les garçons de ton âge.

— Maman, s'il te plaît!

Je veux qu'elle se calme avant d'en dire plus. Juste se calmer et s'en aller, me laisser seule…

— Ça suffit. Il n'y a pas de maman, s'il te plaît! Je pense que je ne peux rien faire maintenant, Sophie, mais il y a une chose dont je suis sûre, c'est que tu ne reverras plus jamais ce jeune homme. Tu m'as bien comprise? Tu te prends peut-être pour une femme, mais tu es loin d'en être une. J'ai encore un mot à dire en ce qui touche ton éducation, et ton bien-être me tient à coeur.

La colère monte en moi.

— Maman, tu ne pourrais pas m'écouter un peu au lieu de tout monter en épingle et de te faire de fausses idées? Tu ne me laisses même pas placer un seul mot.

Je n'ai encore jamais parlé à maman sur ce ton. Elle en est tellement surprise qu'elle ne dit plus rien.

— La chienne de Bernard a eu un accident, hier soir. Elle a été heurtée par une voiture et il a fallu qu'on l'opère d'urgence. J'étais à la clinique, c'est tout simplement là que j'étais! Bernard et moi avons passé la nuit à la veiller et à essayer de lui sauver la vie. Et ça n'a servi à rien… elle souffrait tellement que Bernard a dû l'euthanasier. Elle est morte!

Toutes les émotions de cette nuit m'envahissent. J'éclate en sanglots et je cours me réfugier dans ma chambre. Beaucoup plus tard, je me souviens que maman m'avait alors dit combien elle était désolée.

Je dors toute la journée. Au souper, c'est le silence le plus complet. Geneviève est absente pour la semaine. Papa et maman ne savent pas quoi me dire. Maman a eu la délicatesse de me préparer mes mets préférés, mais je n'ai pas faim. Je retourne me coucher tout de suite après le repas comme si seule une certaine inconscience pouvait effacer mes tristes souvenirs.

Le lundi, je n'ai pas d'examens, donc pas besoin d'aller à l'école. Je ne pense même pas à la clinique. Mardi, je me réveille et je reviens sur terre. J'espère qu'il n'y a pas eu trop de travail à la clinique pendant mon absence. Madame Chevrier peut aider. Il y a aussi un étudiant en médecine vétérinaire qui vient à la clinique depuis quelque temps. Il est revenu dans la région parce que sa mère est malade et, en attendant de retourner aux études, il a demandé au docteur

Victorin s'il peut l'aider de temps à autre.

Je réapparais donc mardi matin. L'école est presque terminée. Juste quelques examens. Bernard n'est pas là. Madame Chevrier m'explique que le docteur Victorin lui a dit de prendre quelques jours de vacances. Bernard avait décidé de passer la semaine à la ferme. Il m'avait laissé un petit mot.

« Sophie, j'espère que tu comprendras mon départ si rapide. J'ai besoin de temps… besoin de penser à plusieurs choses… Tu vas me manquer. Je t'aime de tout mon coeur. »

Bernard me manque à moi aussi, mais je le comprends. Il a besoin de temps pour respirer, oublier son chagrin, et personne ne peut l'aider. Je me mets au travail. Tant de choses me rappellent Lanouk ! Il faut que je me tienne occupée. Je nettoie de nouveau les planchers, promène les chiens qui sont ravis d'avoir autant d'attention. Après le dîner, madame Chevrier a besoin de moi. Elle a plusieurs lettres à adresser. J'en ai pour deux à trois heures de travail.

Plus tard, vers la fin de l'après-midi, le docteur Victorin me demande de l'aider. Il n'arrive pas à maîtriser un énorme doberman qui veut attaquer tout le monde lorsque son propriétaire est avec lui. Je m'approche doucement de l'animal et lui parle gentiment. Puis, j'avance ma main pour lui permettre de sentir mon odeur et lui montrer que je ne lui veux aucun mal. Dès que le chien se détend, je le caresse près des oreilles et le docteur Victorin profite de cet instant pour lui mettre une muselière.

Juste avant de quitter la clinique, le docteur Victorin me demande d'aller le voir à son bureau.

— J'ai des excuses à te présenter, Sophie, me dit-il.

Surprise, je me demande où il veut en venir exactement.

— Je dois admettre que, parce que tu étais une femme, je croyais que tu ne serais pas d'une grande utilité ici. Je me suis trompé. Tu es, sans aucun doute, la meilleure aide que nous ayons eue à la clinique depuis longtemps. Tu as une façon spéciale de t'y prendre avec les animaux ; c'est un peu comme si tu les ensorcelais.

Je me mets à rire.

— J'ai entendu dire que tu avais été acceptée dans plusieurs cégeps. As-tu fait un choix?

— Non, pas encore.

— Si tu dois passer l'été ici, j'aimerais beaucoup que tu acceptes de travailler à la clinique à plein temps. Nous pourrons discuter d'une augmentation de salaire et tu auras toutes les facilités pour apprendre autant de choses que tu le voudras.

— J'aimerais beaucoup ça, dis-je sans hésiter un seul instant. Je voulais justement vous demander si je pouvais travailler un peu plus pendant les vacances d'été.

— Bernard parle tout le temps de toi. Je crois avoir deviné que son intérêt ne s'arrête pas seulement au fait que tu veuilles devenir vétérinaire.

Je me sens rougir. Je ne sais plus quoi dire. Le docteur Victorin éclate de rire devant mon embarras.

— Le docteur Mercier est aussi d'accord pour que

tu l'accompagnes lorsqu'il ira soigner les animaux de la ferme. Tu dois voir toutes les facettes du métier.

Les trois vétérinaires s'étaient donc réunis pour parler de moi et le docteur Victorin avait pris le temps de me faire un horaire d'été qui me permettrait d'en apprendre le plus possible sur les animaux. Je ne trouve pas les mots pour lui exprimer toute ma reconnaissance. Je murmure quelques remerciements, je quitte la clinique et je me dirige lentement vers la maison. J'ai un travail d'été à temps plein, les encouragements d'une personne autre que Bernard et une note de Bernard me disant qu'il m'aime de tout son coeur.

Si ce n'était pas de l'absence de Lanouk, j'aurais littéralement volé jusqu'à la maison.

Soudain, je me rends compte que je n'ai pas envie de rentrer. J'ai besoin d'être seule. Je fouille dans mes poches et trouve suffisamment de monnaie pour prendre l'autobus jusqu'à la plage. Je marche longtemps laissant le doux murmure de l'eau bercer et renforcer la nouvelle tournure qu'allait prendre ma vie. Je suis moins triste quand je pense à Lanouk. C'était une chienne très spéciale et, comme toute personne très spéciale, elle avait laissé sa trace dans mon coeur. Des images me reviennent à l'esprit. C'est peut-être ça, l'immortalité ; toutes ces petites parcelles de soi qu'on laisse aux autres en les quittant. Lorsque Bernard me dira ou lorsque je lui dirai : « Tu te rappelles, Lanouk, elle avait l'habitude de faire… », ce sera comme si elle était encore avec nous.

Les vagues semblent vouloir me narguer. Je retire mes souliers et avance dans l'eau. Je me mets à courir ; les vagues me lèchent les talons. Quel plaisir ! Je me mets à rire. Je ramasse un bâtonnet qui flotte sur l'eau et j'écris sur le sable mouillé la liste des choses auxquelles je tiens le plus... mon travail d'été, mon futur métier de vétérinaire, l'amour de Bernard. L'eau efface progressivement les mots et je m'imagine qu'elle les transporte au bout du monde.

Sophie Delage et Bernard Lejeune. Madame Sophie Delage. Docteur Sophie Delage. La clinique du docteur Delage et du docteur Lejeune... J'aime rêver à tout cela. Si Bernard m'aime, il se peut que je l'épouse un peu plus tard. Nous travaillerons ensemble...

C'est drôle, je me sens plus proche de Bernard que je ne l'ai jamais été. Était-ce la note qu'il m'avait laissée ? Je la sors de ma poche et je la lis de nouveau. « Je t'aime de tout mon coeur. » Je t'aime aussi, Bernard. Peu importe ce qui va arriver, tu feras toujours partie de ma vie.

Je ramasse un coquillage. Il me fait penser à un tout. Je suis un tout. Je dois être une personne entière, avoir ma vie, ma profession. Et Bernard doit faire la même chose. Chacun de nous doit avoir sa propre personnalité et la développer pleinement. Nous devons toujours préserver, dans notre relation, le côté un peu mystérieux de chaque individu. Sinon, comme l'avait si bien dit Bernard, on finit par s'ennuyer avec quelqu'un qui nous ressemble trop.

Bernard ne sait pas vraiment qui je suis ou qui je deviendrai.

J'aime tout de toi, Bernard. Reviens-moi vite. Je remets mes souliers en riant et je cours prendre l'autobus.

— Où étais-tu? me demande Geneviève lorsque j'arrive à la maison. Maman est inquiète.

— Oh, là là! J'ai complètement oublié l'heure. je marchais.

— Sophie, devine! me dit Geneviève en me retenant par le bras.

Je la regarde. Je sens quelque chose de différent en elle. Elle est encore plus belle que d'habitude.

— Cette semaine… j'ai rencontré quelqu'un. Je crois que je l'aime… Oh, Sophie, merci. Tu m'as appris tant de choses ce printemps!

Surprise, je suis incapable de dire quoi que ce soit. Mais quand Geneviève me serre contre elle, je lui rends son étreinte.

— Je t'aime moi aussi, Geneviève. J'espère que tu seras heureuse.

— Sophie, est-ce que c'est toi? demande maman du fond de la cuisine.

— Gagne du temps pour moi, Geneviève. Je vais me doucher.

Je n'ai pas vraiment besoin d'une douche ; je veux simplement avoir quelques minutes de plus à moi. Un peu de temps pour savourer ma journée et tout ce qu'elle m'a apporté.

CHAPITRE DIX-NEUF

Maman était navrée pour Lanouk et regrettait de s'être emportée comme elle l'avait fait la nuit de l'accident. Elle s'était inquiétée et n'avait pas pu s'empêcher de déverser toute sa colère sur mon dos en me voyant enfin arriver. Aujourd'hui, elle remarque l'absence de Bernard. Je lui explique qu'il est retourné chez lui pour une semaine.

— Sophie, as-tu sérieusement pensé à cette relation avec Bernard? Elle n'arrive pas à accepter que je sois amoureuse de cet homme. Elle a au moins retenu son nom.

— Que se passera-t-il s'il te demande de l'épouser? poursuit-elle. Tu as encore bien des années d'études devant toi.

J'ai besoin de parler à quelqu'un. Maman a l'air d'avoir accepté enfin que j'étudie en médecine vétérinaire. Préfère-t-elle m'entendre parler de mes études plutôt que de mariage? Elle ne sait peut-être pas exactement ce qu'elle veut et a peur de me laisser prendre des décisions importantes... Il est vrai que, pour elle, je suis encore sa petite fille.

— Il ne m'a jamais parlé de l'avenir et je n'ai pas envie d'y penser. Par contre, je l'aime vraiment. Ça, j'en suis certaine.

— Je le sais, Sophie. Au début, j'ai pensé que ce

n'était qu'une amourette ; quelque chose qui passe-
rait avec le temps.

Je l'aide à faire la salade.

— Choisirais-tu le mariage plutôt que ta profession?

— Non, en aucun cas. De toute façon, Bernard ne
me demandera jamais de faire un tel choix.

— Comment le sais-tu? Il pense peut-être qu'un
vétérinaire dans une famille, c'est bien assez !

— Je le sais, c'est tout. Il veut que je fasse ce que
j'ai envie de faire.

Pourquoi maman m'oblige-t-elle à penser à tout
ça? Nous avons trois longs mois devant nous avant
d'être séparés. Je veux profiter de chaque instant et,
surtout, ne pas penser à ce qui peut arriver.

Papa entre dans la cuisine. Je mets toutes ces idées
de côté.

Le dimanche, Bernard me manque terriblement.
Nous avons été si souvent ensemble que j'ai
l'impression que l'on ne s'est jamais quittés. Je suis
heureuse d'entendre enfin sa voix lorsqu'il me téléphone. Il est revenu et est impatient de me voir. Il a
beaucoup de choses à me raconter et semble être en
pleine forme.

Il passe me prendre. Nos merveilleux pique-niques
à la plage ! Le soleil est déjà bien bas et le coucher de
soleil sera fantastique.

Nous marchons main dans la main le long de la
plage, sans dire un seul mot. Lanouk me manque.
C'est triste de ne plus sentir son museau frais contre
mes talons, de ne plus la voir courir et sauter autour

de nous. Bernard doit penser la même chose que moi.

— Tu m'as manqué, Sophie, me dit Bernard en me serrant contre lui. Mais je suis content d'être allé à la ferme ; j'ai de grandes nouvelles à t'annoncer.

Je repousse Bernard et le regarde. Ses yeux brillent de malice. Il attend que je devine…

— Polka va avoir un petit?

Je n'ai aucune idée de ce qui peut l'emballer comme ça.

Il éclate de rire et fait signe que non.

— Tu pars en Afrique soigner les zèbres? Tu as un chiot?

Je n'ose pas mentionner le nom de Lanouk.

— Non. Lanouk ne pourra jamais être remplacée. Pas tout de suite, de toute façon.

Son visage devient sérieux. C'est dommage.

— Tu ne peux pas être remplacée, toi non plus, Sophie. je t'aime.

Il m'embrasse de nouveau.

— Il va falloir que je te le dise. J'ai un nouveau travail. Pendant que j'étais à la ferme, je suis allé rendre visite au vétérinaire de la région. C'est un vieil homme. Je l'ai toujours connu. Il veut que je travaille avec lui et que je le remplace quand il va prendre sa retraite, ce qu'il voudrait faire le plus tôt possible. Il est âgé et le travail devient trop dur pour lui. C'est ce que j'ai toujours voulu faire, Sophie. Le rêve de ma vie. Tu te rends compte?

Le rêve de sa vie. Il avait donc dû m'en parler, mais je ne m'en souvenais pas à moins… à moins que

142

je n'aie pas voulu y prêter attention quand il m'en avait parlé.

— Par contre, je n'ai jamais pensé que ça arriverait si vite. Je croyais rester ici quelques années…

Son visage est si animé… comme un enfant qui tient son rêve dans ses mains.

— Quand pars-tu?

Mon coeur est triste. Bernard, partir? Je pensais que c'était moi qui partais.

— C'est ça le problème. Le vétérinaire veut que je commence tout de suite. Il ne veut pas travailler un autre hiver dehors. Non…

Il pose son doigt sur ma bouche.

— Ne dis rien maintenant. Il y a autre chose.

Que peut-il dire de plus? Je ne veux plus rien entendre.

— Je veux que tu viennes avec moi, Sophie. Je veux t'épouser tout de suite et nous vivrons ensemble. Tu pourras travailler avec moi…

— Mais, mes études…

Je prononce ces mots très lentement.

— J'ai tout prévu. Tu suivras tes cours au cégep le plus près de chez nous. Nous serons ensemble pendant les vacances et l'été. Je pourrai aussi t'aider dans tes études. Ensuite, nous pourrons travailler ensemble. Ce n'est pas rare de voir un couple travailler ensemble en médecine vétérinaire. Nous formerons une équipe formidable.

C'est notre rêve, mais un rêve qui devait se réaliser dans six ou huit ans. Est-ce que ce serait la même chose?

— Plusieurs fois, j'ai repensé à la façon dont tu m'as aidé, le soir de l'accident de Lanouk. Et tu m'as vraiment surpris, tu sais. Tu as fait tant de choses… comme si tu les avais toujours faites. Il ne suffisait que de quelques explications… tu semblais tout comprendre si vite. As-tu pensé au travail merveilleux que nous pourrions faire ensemble? Oh, Sophie, accepte. Nous formerons une équipe parfaite. Nous construirons une clinique, un laboratoire et pourquoi pas faire un peu de recherche? C'est un endroit idéal pour élever des enfants. Nous aurons des chevaux et…

— Attend un peu, Bernard. Ne pensons pas aux enfants maintenant. Je ne peux pas penser à tout ça en même temps.

Je ne peux plus penser du tout. Tout est si fantastique… Nous formerons un couple idéal qui sera célèbre dans le monde entier par ses recherches sur les animaux. L'amour, la célébrité, le bonheur parfait…

Bernard a raison, j'ai un talent naturel pour travailler avec les animaux, mais c'est tout ce que j'ai. Il me faut encore au moins six années d'études avant de pouvoir travailler dans ce domaine. Tout semble bien beau. Que puis-je demander de plus?

— Bernard, je me sens submergée. Je ne sais pas quoi répondre.

— Juste oui. Que tu veux devenir ma femme. Que tu m'aimes.

— Oh, oui, je t'aime, Bernard. Et j'aimerais t'épouser, mais laisse-moi le temps d'y penser.

— Les amoureux ne devraient jamais trop réfléchir. Ce n'est pas permis.

— Rappelle-toi, tu m'as déjà dit qu'une des choses que tu aimais chez moi, c'était mon sens pratique. Je croyais que tu m'admirais parce que je prévoyais longtemps à l'avance ce que je voulais faire.

— Non. Je n'ai jamais dit ça. Je veux que tu fasses ce que tu as envie, maintenant. Que tu laisses tomber toutes ces réserves et ces calculs. Je veux que tu te laisses aller aux plaisirs de la vie. Dis-toi que la vie est un risque et que tu veux bien prendre ce risque avec moi. Nous aurons quelques petits problèmes, mais qui n'en a pas? Mais nous les règlerons. Nous sommes faits l'un pour l'autre.

Il m'attire contre lui et joue avec une mèche de mes cheveux.

— Je t'aime tellement, Sophie. Tu fais partie de moi et je veux te garder pour toujours.

Il n'est pas facile de garder un esprit pratique quand quelqu'un que l'on aime nous embrasse.

CHAPITRE VINGT

Pendant le pique-nique, nous parlons de l'avenir. Bernard a tout prévu et je dois admettre que ce n'est pas impossible. Chaque fois que je vois une étoile apparaître dans le ciel, je fais le voeu que tout se passe comme il le désire. J'aimerais arrêter de penser aux nombreux obstacles qui pourraient survenir et m'empêcher d'atteindre le désir qui m'est le plus cher... ou celui qui m'était le plus cher avant que je ne rencontre Bernard. Maintenant, j'ai deux avenirs devant moi. Est-ce que les deux peuvent se fusionner en un seul?

De retour à la maison, je suis incapable de dormir. Je reste étendue sur mon lit pendant des heures à espérer que la solution me tombe du ciel. Logiquement, prendre une telle décision me semble impossible et je ne crois pas être capable de le faire. Comment une personne peut-elle prendre une décision quand les deux choix qui s'offrent à elle sont tous les deux si importants? Je veux les deux ; mon métier et Bernard comme mari.

— Es-tu malade, Sophie? me demande maman au déjeuner. Ça n'a pas l'air d'aller.

Comme ils doivent le savoir un jour ou l'autre, je décide d'aller droit au but.

— Bernard m'a demandé de l'épouser, hier soir.

— Je savais que ça devait arriver, s'exclame maman. Tu ne peux pas accepter, Sophie. Tu es beaucoup trop jeune pour te marier.

— Tu n'avais que dix-huit ans quand je t'ai épousée, lui rappelle papa. Sophie devra décider elle-même si elle veut se marier, laisser tomber ses projets d'étude…

Papa pense donc, lui aussi, que je dois faire un choix.

Je leur explique les projets de Bernard et son nouveau travail.

— Il veut que je l'épouse tout de suite et que j'aille m'installer avec lui, là-bas.

— Ça ne marchera jamais ! s'exclame maman.

— Ça va être très dur de quitter ton mari pour poursuivre tes études. Moi, j'en serais incapable, ajoute Geneviève.

— S'il t'aime vraiment, réplique maman, il se trouvera un travail dans la ville où tu feras tes études.

Je n'ai pas faim et la nourriture me semble fade, sans goût.

Je sais que maman a tort. Bernard m'aime vraiment, mais il aime aussi son travail. Et la chance de sa vie s'offre à lui, il ne peut pas la laisser passer. C'est un défi à relever ; c'est, pour lui, la possibilité de faire ce qu'il veut réellement et d'avoir sa propre clinique.

Geneviève, maman et papa continuent à peser le pour et le contre. Je les laisse parler sachant très bien que je dois prendre ma décision toute seule. Personne ne peut le faire à ma place.

Pendant cette longue nuit sans fin, j'avais pensé et repensé à tout ceci. J'avais étudié la situation sous tous les angles, je m'étais questionnée encore et encore. Qu'est-ce que je voulais réellement?

Chaque fois, ça revenait à la même chose. Je voulais les deux. Je voulais épouser Bernard. C'était la chose la plus merveilleuse qui puisse m'arriver. Vivre aux côtés d'un homme aussi charmant et sensible, conscient de mes besoins en tant que femme et en tant que personne humaine. Mais je veux aussi devenir vétérinaire. Je veux acquérir les connaissances et les compétences qui me permettront de travailler avec les animaux. Je me vois à la clinique avec Bernard. Bernard vient de partir et quelqu'un arrive avec un animal blessé. Et moi, je suis incapable de faire quoi que ce soit parce que je n'ai pas terminé mes études. Je serai toujours près des animaux à cause du métier de Bernard, mais je n'aurai jamais atteint le but que je me suis fixée.

Soudain, j'ai l'impression que je viens de me convaincre qu'en épousant Bernard, je n'atteindrai jamais mon autre but. Ai-je raison?

— Sophie, me dit gentiment Geneviève quand je me lève de table, je pense que tu dois épouser Bernard. Juste à sa façon de te regarder, on peut voir qu'il t'adore. J'ai un travail et je ne suis pas aussi ambitieuse que toi dans la vie, mais je donnerais tout ce que je possède pour avoir quelqu'un qui m'aime autant que Bernard t'aime. Ça ne peut pas s'acheter ni s'apprendre et, souvent, ça ne se présente qu'une seule fois.

Toutes ces belles phrases ne m'aident pas du tout.

Je me jette sur mon lit en pleurant, et je pleure jusqu'à ce que je m'endorme.

Vers midi je me lève, me douche en vitesse et me passe de l'eau froide sur le visage avant d'aller à l'école. Je mets tout de même des lunettes de soleil. J'espère ne pas rencontrer Catherine ou quelqu'un d'autre qui puisse supposer que quelque chose ne va pas. Comment leur expliquer que j'ai versé toutes les larmes de mon corps parce qu'un homme m'aime et qu'il veut m'épouser? Au moins je ne pleure plus. Mais ma décision n'est pas encore prise.

La semaine passe lentement. Je ne pense à rien ; j'ai mis mes rêves de côté, je ne veux pas encore prendre de décision.

Bernard, lui, agit comme si tout était réglé. Il est si enthousiaste que je n'ose rien lui dire.

Devrais-je le laisser prendre toutes les décisions pour moi? L'épouser et le laisser diriger ma vie? Plusieurs femmes laissent leur mari décider de tout et elles semblent heureuses. Pourquoi devrais-je être différente? Ce serait un moyen facile de m'en sortir. Et pourquoi pas? Chaque fois que Bernard me regarde en souriant, je me demande pourquoi je fais tant d'histoires. Geneviève a raison. Je suis très chanceuse, et cette chance qui m'est offerte aujourd'hui, ne se représentera peut-être jamais plus.

Je ne travaille pas le vendredi soir, soir de ma graduation. Bernard assiste à la remise des diplômes et s'assoit juste derrière mes parents. Dès qu'il me voit, il me sourit et me fait signe de la main.

— Tu as de la chance, Sophie, me dit Catherine. Il est vraiment merveilleux. Quel homme !

Je ne lui ai pas raconté les dernières nouvelles. Je veux les garder pour moi seule, exception faite de ma famille, du moins pendant un certain temps.

Le vieux professeur qui nous remet nos diplômes, le même depuis des années, nous souligne que nous tenons tout l'avenir devant nous et… dans nos mains.

Il est vrai que mon avenir est devant moi, mais j'ai l'impression d'en avoir perdu le contrôle. Cette idée me déplaît.

Après la cérémonie, Catherine nous invite, Bernard et moi, à aller prendre un verre avec Mathieu et elle. Je n'ai pas envie de fêter quoi que ce soit. Le coeur n'y est pas. Je ne veux pas non plus que Bernard lui parle de nos projets ou plutôt de *ses* projets d'avenir en ce qui nous concerne. Personne ne doit savoir avant que j'aie pris ma décision.

Avant de partir, je sais ce que je dois dire à Bernard.

Nous allons au petit restaurant de la plage. Bernard demande une tarte avec son café. Je n'ai pas faim. Je demande juste un café. Je le regarde et je pense qu'il serait bon d'être assise en face de lui comme ça, jour après jour, après les repas, et de discuter des clients de notre clinique.

Mais je sais très bien que ce n'est pas possible

maintenant. C'est un risque que je ne peux pas prendre. Chaque chose doit être faite en son temps si l'on
veut mettre toutes les chances de réussite de son côté.
Bernard m'aime et je l'aime moi aussi, mais ça
n'arrive pas au bon moment. Ce n'est pas le temps de
me marier. J'ai trop de choses à faire, de buts à
atteindre.

— Tu ne viens pas avec moi, n'est-ce pas, Sophie?

Bernard me prend la main et l'examine comme s'il
pouvait y lire l'avenir. Puis il me donne un léger baiser et me regarde des larmes plein les yeux.

Je n'ai plus de larmes. Me rappelant toutes celles
que j'ai versées, je me rends compte que je savais, au
plus profond de moi que notre amour ne se termine-
rait pas autrement.

— Oh, Bernard, je t'aime de tout mon coeur, mais
je ne peux pas accepter de t'épouser maintenant. Pas
maintenant. Je suis très consciente qu'une telle décision peut modifier bien des choses entre nous.

— J'avais peur que tu prennes cette décision,
Sophie. Mais j'ai fait comme si tu acceptais. Je le
voulais tellement. J'ai peut-être pensé que si je le
voulais très fort et si je faisais comme si tout était
réglé, tu ne pourrais plus refuser.

— Je suis navrée, Bernard. Je ne vois pas d'autre
solution pour l'instant.

Je le regarde longuement.

— Tu m'écriras et me raconteras ce qui se passe à
ta clinique?

— Bien sûr! Et tu m'écriras ce qui se passe ici…
tes études… un jour peut-être?

— Oui, peut-être.

C'est une promesse. Je sais que peu importe l'avenir, je n'oublierai jamais Bernard. Je me souviendrai toujours des merveilleux moments que nous avons partagés. C'est mon premier amour et peut-être mon seul vrai amour ; quelque chose que jamais personne ne pourra m'enlever. Bernard sera toujours dans mon coeur. Un jour, *peut-être*, nous pourrons ramasser toutes les pièces de ce printemps aigre-doux et aller de l'avant.

ACHEVÉ   D'IMPRIMER
EN   OCTOBRE   1988
SUR LES PRESSES DE
PAYETTE & SIMMS INC.
À SAINT-LAMBERT, P.Q.